Manual de
Anatomia
do Exercício

Tradutores

Profa. Dra. Yara M. Michelacci
Professora Associada Livre Docente
Disciplina de Biologia Molecular – Departamento de Bioquímica
Escola Paulista de Medicina – Universidade Federal de São Paulo – UNIFESP

Prof. Dr. Felipe Arruda Moura
Laboratório de Biomecânica Aplicada
Departamento de Ciências do Esporte
Universidade Estadual de Londrina – UEL

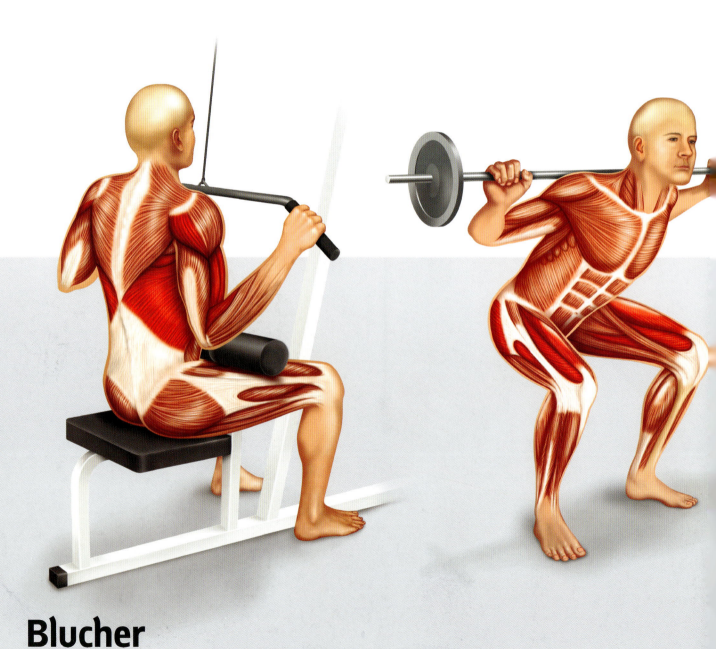

Blucher

Manual de Anatomia do Exercício

Consultor Chefe
Professor Ken Ashwell, BMedSc, MB BS, PhD

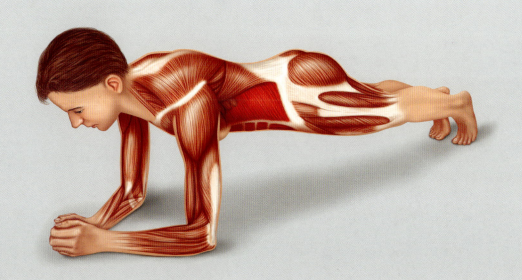

Manual de anatomia do exercício
Título original: *The student's anatomy of exercise manual*
© Global Book Publishing Pty Ltd 2012

Tradução publicada sob licença de Global Book Publishing Pty Ltd.

Direitos reservados para a língua portuguesa pela Editora Edgard Blücher Ltda. 2013.

Recomenda-se que qualquer pessoa que pretenda participar de um programa de exercícios consulte um médico antes de iniciar, e que ninguém tente um novo exercício sem a supervisão de um profissional qualificado. Embora todo cuidado tenha sido tomado na apresentação deste material, a informação anatômica e médica não pretende substituir o aconselhamento profissional médico; não deve ser usado como um guia para autotratamento ou autodiagnóstico. Nem os autores nem a editora poderão ser responsabilizados por qualquer tipo de lesão ou dano causados pelo uso ou uso indevido das informações deste livro.

Nota dos tradutores
No interesse de difusão do conhecimento, os tradutores envidaram o máximo esforço para que a tradução do livro para a língua portuguesa mantivesse o mesmo sentido e a estrutura do texto original. Para tanto, foi necessário adaptar a tradução de algumas palavras a uma escrita mais próxima dos profissionais das ciências do esporte, anatomia e saúde, sem prejuízo dos conceitos academicamente corretos. Nesse sentido, na descrição dos exercícios, adotou-se a terminologia mais aceita no Brasil: o movimento é realizado pela articulação, não pelo segmento corporal. Em outras palavras, priorizou-se descrever "extensão de joelhos" em vez de "extensão de pernas", ou "flexão de cotovelos" em vez de "flexão de braços".

Cabe ressaltar também que os tradutores buscaram denominar os exercícios com as nomenclaturas mais conhecidas entre os profissionais do Brasil. Alguns exercícios são conhecidos pelos nomes em inglês, como *leg press* e *pullover*, motivo pelo qual o inglês foi mantido. Em outros exercícios, o nome em inglês é pouco conhecido por profissionais da área, e tradução direta também não é de uso corrente. Nesses casos, optou-se por uma breve descrição dos movimentos anatômicos realizados no exercício. Um exemplo é o exercício designado aqui por "Rotação de tronco com polia alta", chamado *Chop* em inglês.

Rua Pedroso Alvarenga, 1245, 4º andar
04531-012 – São Paulo – SP – Brasil
Fax 55 11 3079 2707
Tel 55 11 3078 5366
contato@blucher.com.br
www.blucher.com.br

Segundo Novo Acordo Ortográfico, conforme 5. ed. do Vocabulário Ortográfico da Língua Portuguesa.
Academia Brasileira de Letras, março de 2009.

Todos direitos reservados
pela Editora Edgard Blücher Ltda.

É proibida a reprodução total ou parcial por quaisquer meios, sem autorização escrita da Editora.

Ficha Catalográfica

Ashwell, Ken
 Manual de anatomia do exercício / Ken Ashwell; tradução de Yara M. Michelacci, Felipe Arruda Moura. – São Paulo: Blucher, 2013.

 ISBN 978-85-212-0790-0
 Título original: The student's anatomy of exercise manual

 1. Anatomia humana. 2. Fisiologia humana. 3. Mecânica Humana I. Título II. Michelacci, Yara M. III. Moura, Felipe Arruda

13-0803   CDD 616.7075

Índices para catálogo sistemático:
1. Anatomia humana – mecânica

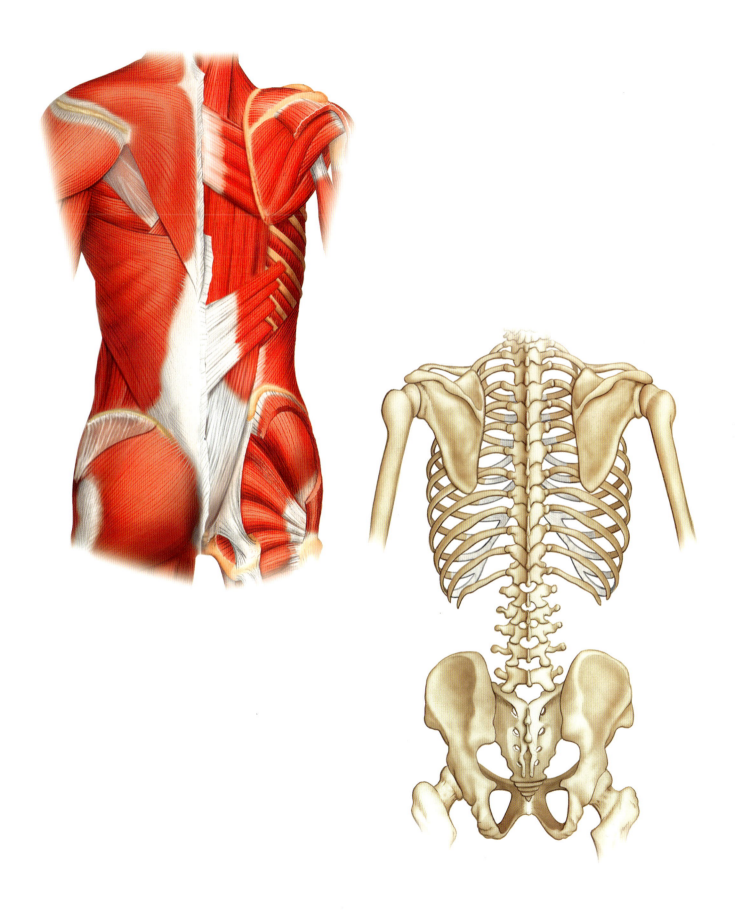

Conteúdo

Introdução		8
Como Este Livro Está Organizado		10

Visão Geral de Anatomia 12

Regiões do Corpo	**14**
Sistema Muscular	**16**
Músculos do Abdômen e das Costas	18
Músculos dos Membros Superior e Inferior	20
Sistema Esquelético	**22**
Coluna Vertebral	24
Ossos dos Membros Superior e Inferior	26
Sistema Nervoso	**28**
Medula Espinal	30
Sistema Circulatório	**32**
Vasos Sanguíneos dos Membros Superior e Inferior	34
Sistema Respiratório	**36**

Exercícios	40
Exercícios para o Tórax	**42**
Supino com Halteres	44
Crucifixo com Halteres	46
Supino	48
Mergulho	50
Crossover	52
Pullover	54
Flexão de Braços	56
Exercícios para as Costas	**58**
Puxada Anterior	60
Flexão de Cotovelos na Barra Fixa	62
Remada com Barra	64
Remada Sentada	66
Crucifixo Invertido (*Reverse Fly*)	68
Remada Unilateral	70

Exercícios para os Membros Superiores e Ombros	**72**
Rosca Direta	74
Rosca Concentrada	76
Rosca com Cabo (Flexão De Cotovelo com Cabo)	78
Puxador Tríceps (Extensão de Cotovelo com Cabo)	80
Extensão de Cotovelo	82
Extensão de Cotovelo, Curvado	84
Desenvolvimento de Ombros	86
Elevação Frontal	88
Elevação Lateral	90
Remada Vertical	92
Encolhimento de Ombros	94
Flexão de Punho	96

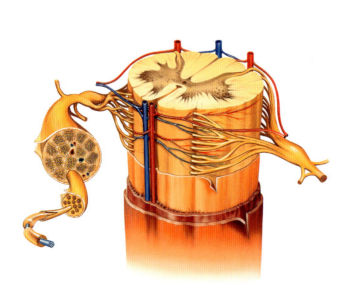

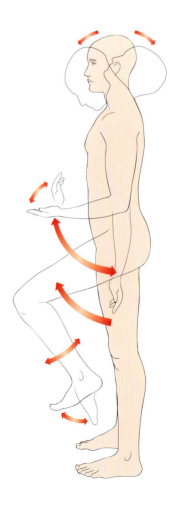

Exercícios para os Membros Inferiores e Glúteos	**98**	Adução de Quadril	126	Músculos das Costas	158
		Abdução de Quadril	128	Músculos do Tórax e do Abdômen	160
Agachamento com Halteres	100	**Exercícios para o Tronco**	**130**	Músculos do Ombro	161
Agachamento com Barra Livre	102	Prancha	132	Músculos dos Membros Superiores	164
Avanço com Barra Livre	104	Abdominal	134		
Levantamento Terra	106	Abdominal Cruzado	136	Músculos dos Membros Inferiores	168
Levantamento Terra Romeno	108	Bicicleta	138	**Tipos de Músculos**	**172**
Step-up	110	Super-homem	140	**Articulações**	**173**
Panturrilha em Pé (Flexão Plantar, em Pé)	112	Ponte	142	**Sistema Esquelético**	**174**
		Extensão de Tronco	144	Coluna Vertebral	176
Panturrilha, Sentado (Flexão Plantar, Sentado)	114	Rotação de Tronco com Polia Baixa	146	Ossos dos Membros Superiores	178
Cadeira Extensora (Extensão de Joelho)	116	Rotação de Tronco com Polia Alta	148	Ossos dos Membros Inferiores	182
Cadeira Flexora (Flexão de Joelho, Sentado)	118	*Walkout*	150	**Sistema Nervoso**	**184**
				Nervos dos Membros Superior e Inferior	184
Mesa Flexora (Flexão de Joelho, Deitado)	120	Livro para Colorir	152		
Leg Press	122	**Sistema Muscular**	**154**	Referências	186
Isquiotibiais Nórdicos (*Nordic Hamstrings*)	124	Músculos da Cabeça e do Pescoço	156	**Glossário**	188
				Índice	189

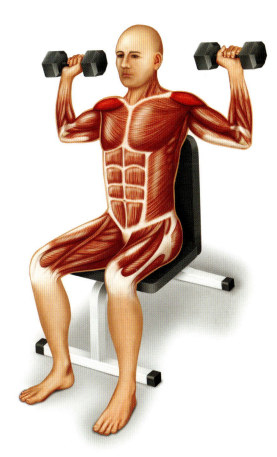
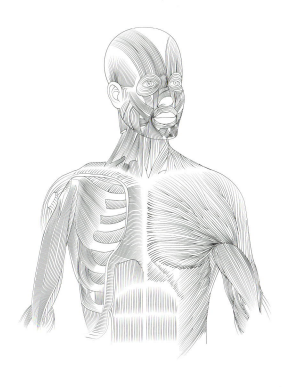

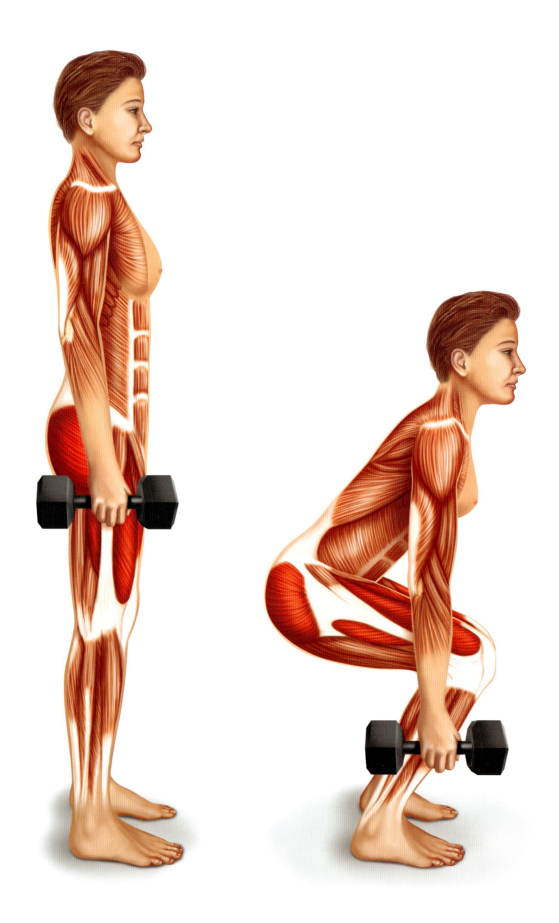

Introdução

Há uma revolução no pensamento sobre exercícios. O exercício não é mais domínio exclusivo de esportistas ou fisiculturistas. Profissionais da saúde, atualmente, sabem que a atividade física é central para a manutenção da saúde e da coordenação para todos, desde a infância até a velhice. Exercitar-se não é um esporte para espectadores, e tornar-se apenas membro de uma academia não é suficiente para manter seu corpo em excelente forma. Todos os adultos deveriam praticar um regime de exercícios próprio para a idade, que levasse em conta sua história médica e tipo de corpo.

Para o estudante de anatomia ou fisiologia do esporte – que treinará os atletas de amanhã, e também manterá todos nós em forma – e para o esportista, o fisiculturista, ou apenas aquele que deseja melhorar seu preparo físico, este livro traz um sólido aconselhamento prático de como executar os exercícios mais importantes, com o detalhe anatômico para explicar o que cada exercício está fazendo para o corpo. Você vai aprender como exercícios específicos têm grupos de músculos específicos como alvos, para garantir que você ou seus clientes consigam os melhores resultados, seja para necessidades do esporte ou condicionamento físico geral. O livro apresenta, no início, uma seção de visão geral, para explicar a anatomia e a função de músculos-chave, e, ao final, um livro para colorir, que reforçará o que você aprendeu.

Lembre-se sempre de seguir os conselhos e avisos para cada exercício. Qualquer pessoa que esteja iniciando um programa de exercícios deve, primeiro, consultar seu médico, especialmente se tiver mais de 40 anos ou história de doença cardíaca ou hipertensão. Um profissional de sua academia local aconselhará a melhor combinação de exercícios para você. Alguns exercícios usam cargas pesadas e testam a força e a flexibilidade de músculos que não usamos frequentemente em nossas vidas.
"Faça direito" significa preparar-se adequadamente para cada exercício, usando apenas o equipamento correto, buscando ajuda de um profissional de exercício ou ajudante, quando necessário, e considerando a segurança dos que estão à sua volta quando executar os exercícios. Segurança para você mesmo e para os outros deve sempre ser a maior prioridade.

Professor Ken Ashwell
Department of Anatomy,
School of Medical Sciences, Faculty of Medicine,
University of New South Wales, Sydney, Australia

Como Este Livro Está Organizado

Este livro está organizado em três seções primárias: uma visão geral de anatomia, colorida, um guia de exercícios ilustrado, colorido, compondo a parte principal do livro, e um livro para colorir, para testar seu conhecimento de anatomia.

A seção de visão geral de anatomia fornece, detalhadamente, ilustrações anatomicamente corretas, com legendas claras e informativas para os vários sistemas e regiões do corpo. A visualização das partes do corpo e das ligações entre elas melhorará seu entendimento sobre como o corpo funciona durante o exercício.

Cada um dos cinco capítulos do guia de exercícios foca uma área muscular específica – membros superiores e ombros, tórax, costas, tronco, membros inferiores e glúteos. Todos os exercícios são apresentados em duas posições anatomicamente corretas. Legendas identificam todos os músculos importantes – incluindo a identificação dos músculos ativos e estabilizadores – de modo que você possa ver e entender exatamente quais músculos estão ativos durante os exercícios. Isso não só ampliará seu conhecimento sobre anatomia, mas também aumentará a eficácia dos programas de condicionamento e reabilitação.

O capítulo "livro para colorir" é um recurso de apoio para o estudo, que tem por objetivo facilitar seu entendimento de importantes sistemas do corpo – os sistemas muscular, esquelético e nervoso. Colorir cada ilustração ajudará a memorizar a localização dos músculos, ossos e nervos desses sistemas. Preencha as legendas para testar seu conhecimento sobre os nomes das partes do corpo – as respostas são dadas no final de cada página.

PÁGINAS DE VISÃO GERAL DE ANATOMIA

Esta seção contém uma visão geral, colorida, em página dupla, que mostra um resumo das partes importantes de um sistema específico do corpo.

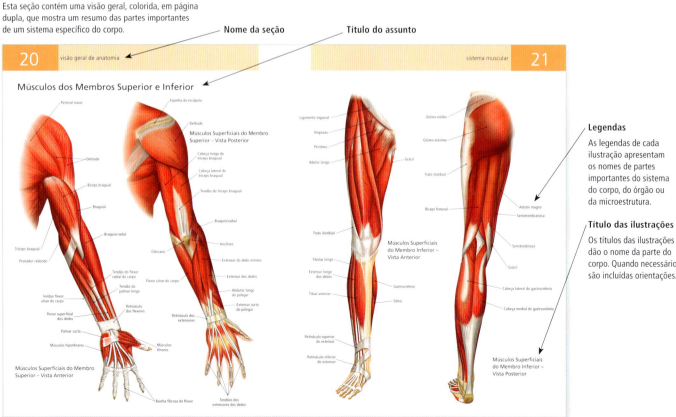

Legendas
As legendas de cada ilustração apresentam os nomes de partes importantes do sistema do corpo, do órgão ou da microestrutura.

Título das ilustrações
Os títulos das ilustrações dão o nome da parte do corpo. Quando necessário, são incluídas orientações.

PÁGINAS DE EXERCÍCIOS

Cada capítulo, deste guia de exercícios, focaliza uma área muscular específica. Os exercícios mostram duas posições anatômicas corretas, que identificam os músculos ativos e estabilizadores.

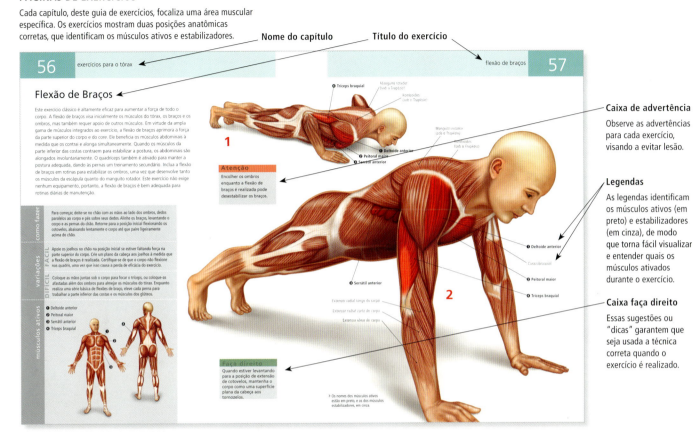

PÁGINAS DO LIVRO PARA COLORIR

Esta seção final contém desenhos de partes dos sistemas muscular, esquelético e nervoso, em preto e branco. Deve-se colorir as partes do corpo, como reforço, para memorizar.

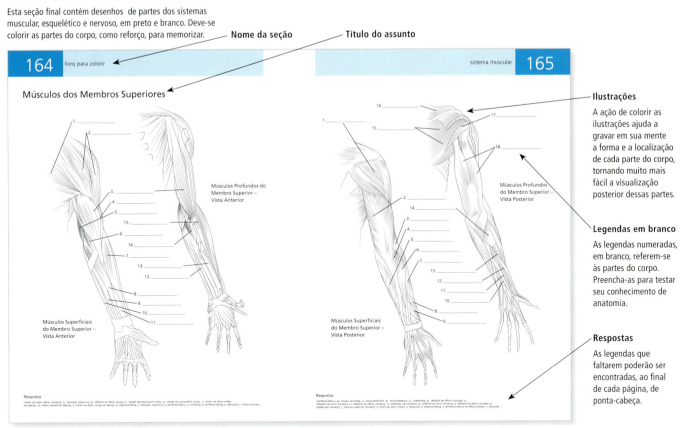

12 Visão Geral de Anatomia

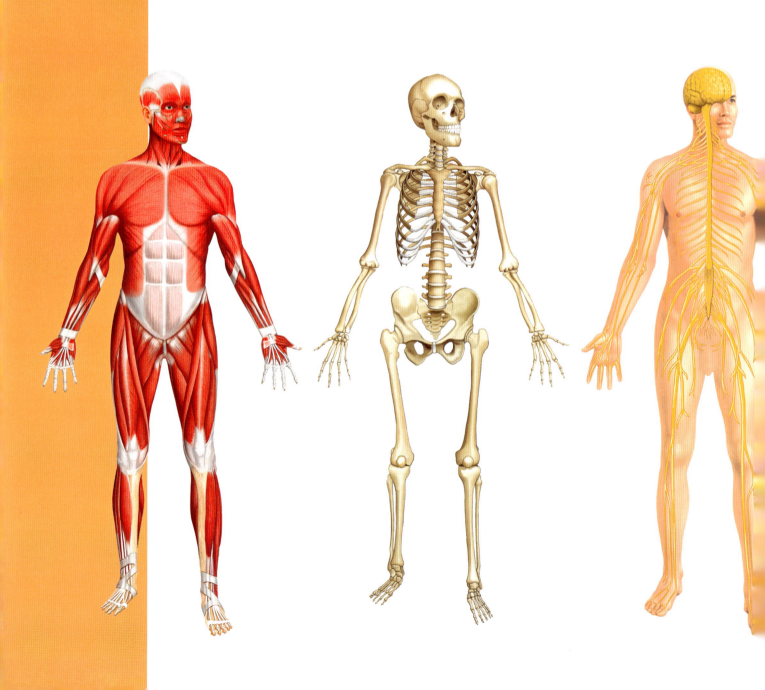

Regiões do Corpo	14
Sistema Muscular	16
Sistema Esquelético	22
Sistema Nervoso	28
Sistema Circulatório	32
Sistema Respiratório	36
Movimentos do Corpo	38

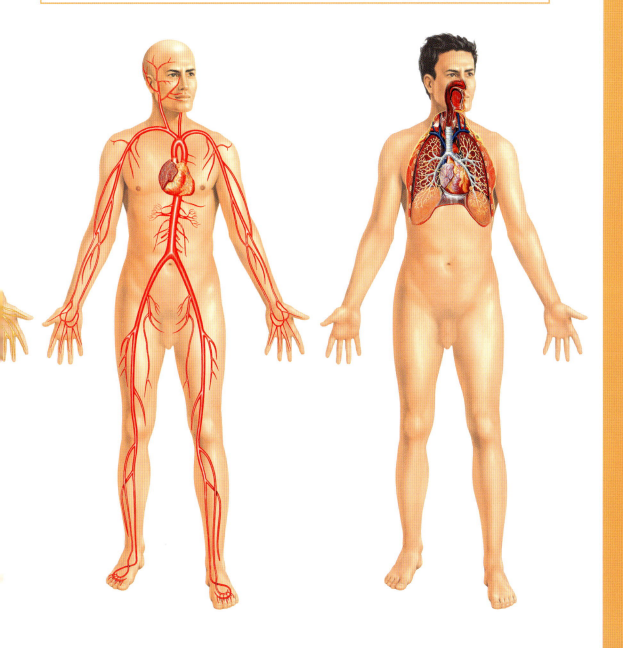

Regiões do Corpo

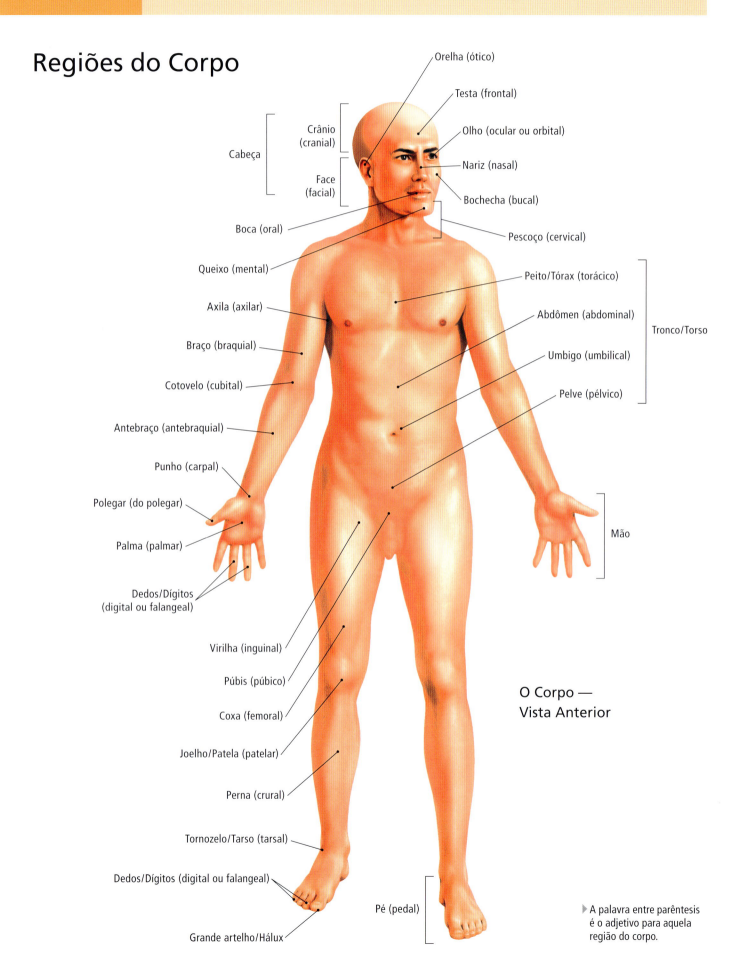

O Corpo — Vista Anterior

▶ A palavra entre parêntesis é o adjetivo para aquela região do corpo.

regiões do corpo

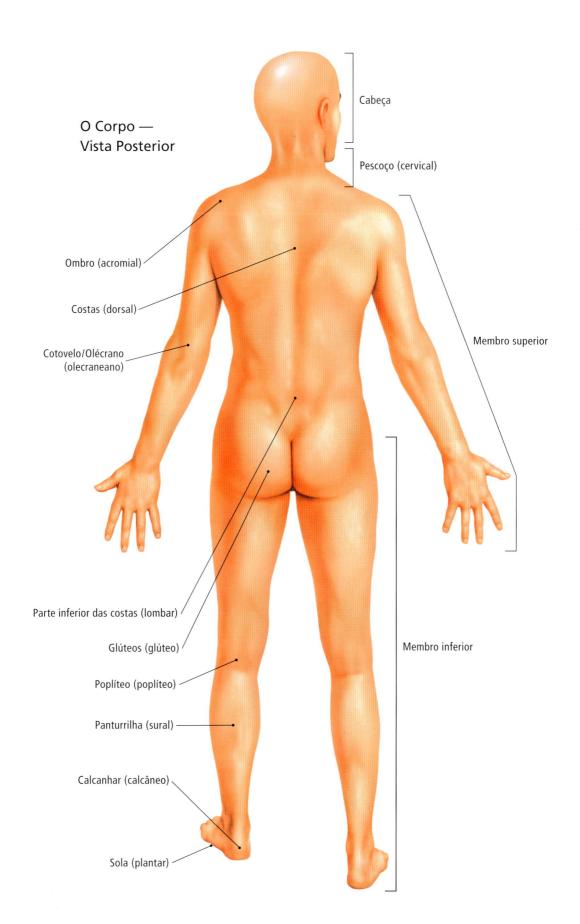

16 visão geral de anatomia

Sistema Muscular

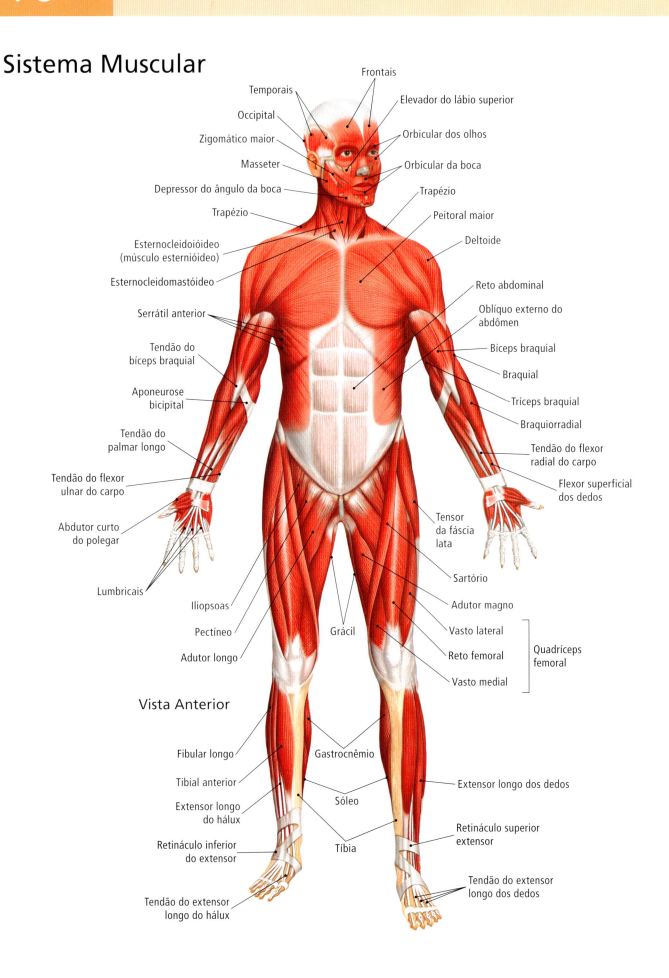

Vista Anterior

sistema muscular 17

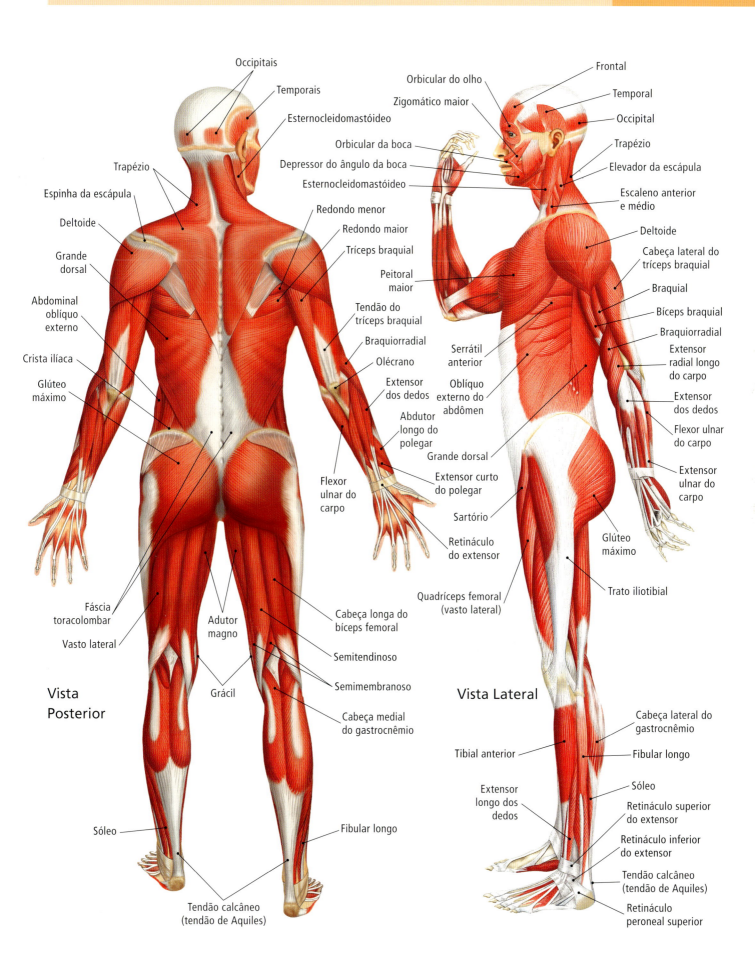

Vista Posterior

Vista Lateral

Músculos do Abdômen e das Costas

Músculos do Abdômen – Vista Anterior

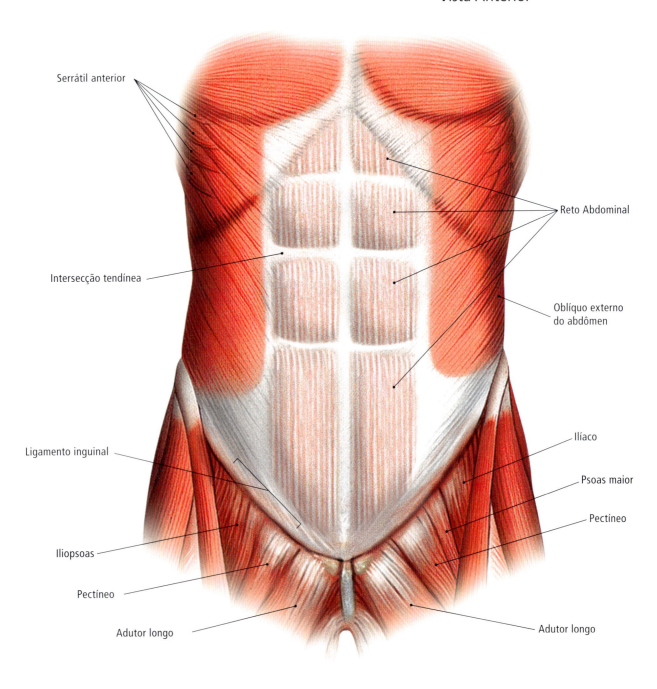

sistema muscular 19

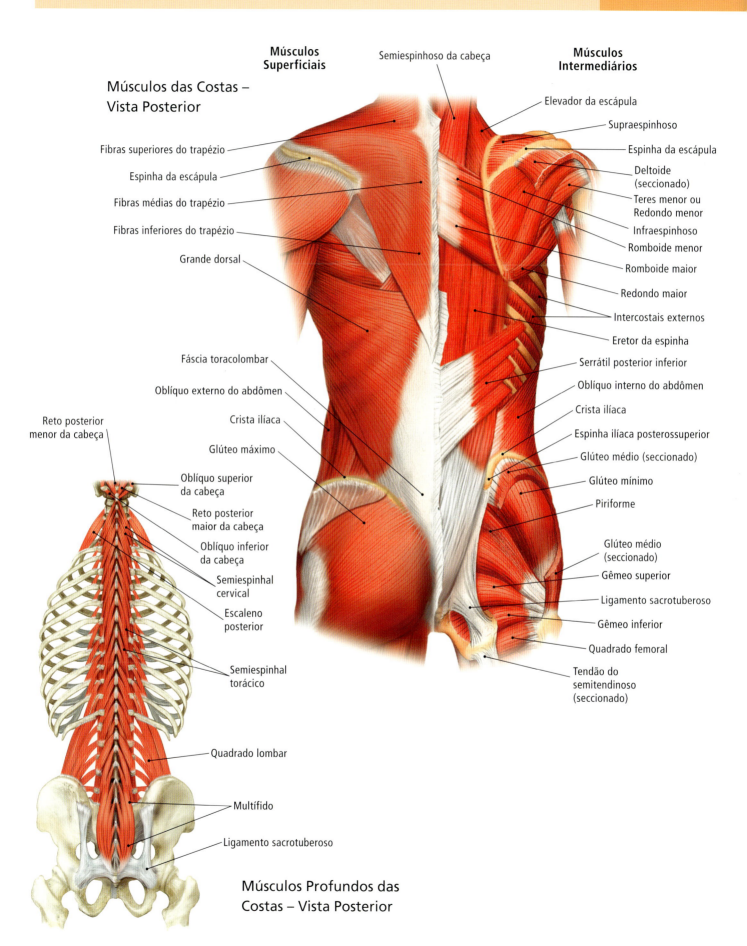

Músculos das Costas – Vista Posterior

Músculos Profundos das Costas – Vista Posterior

Músculos dos Membros Superior e Inferior

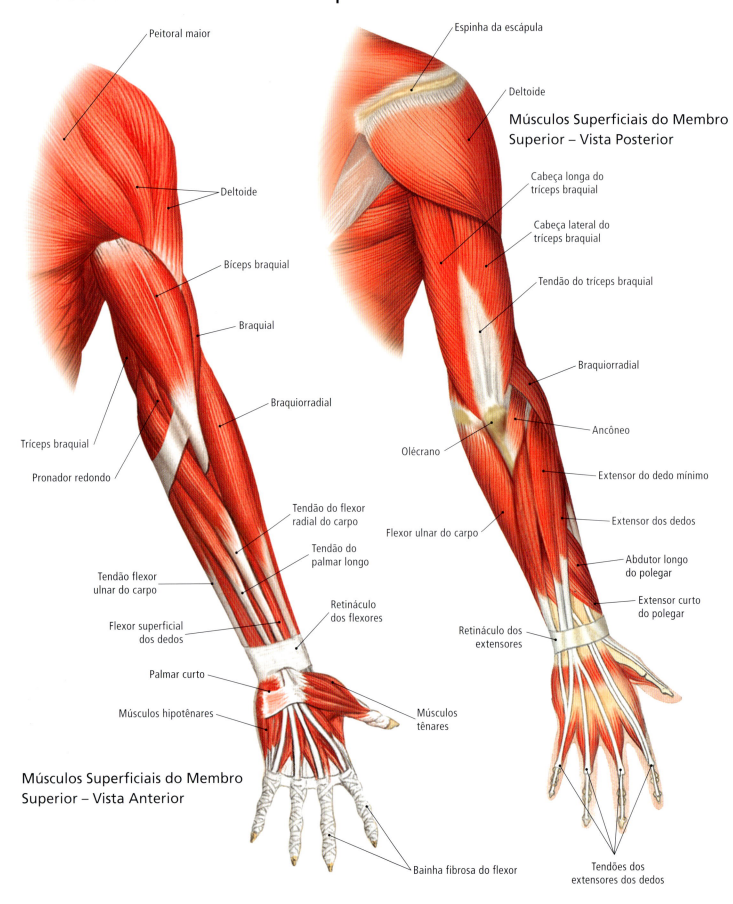

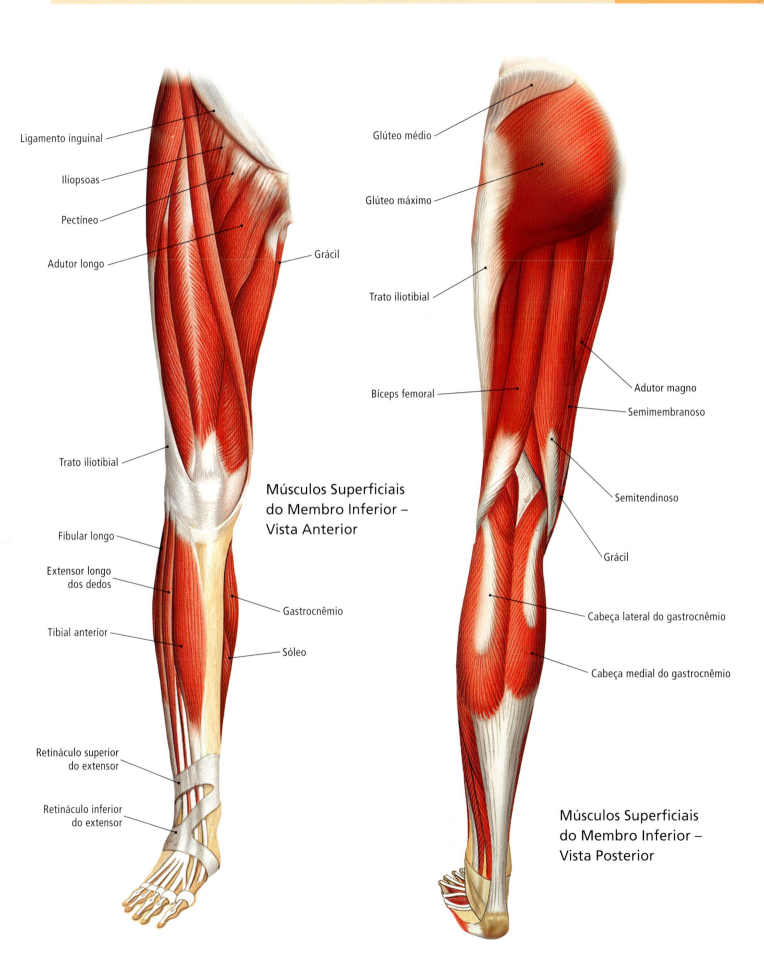

Sistema Esquelético

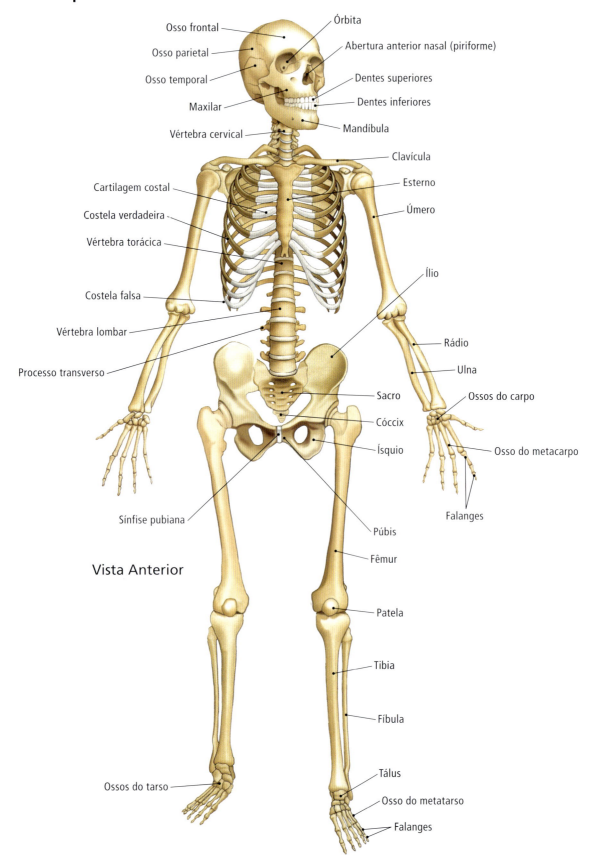

Vista Anterior

sistema esquelético 23

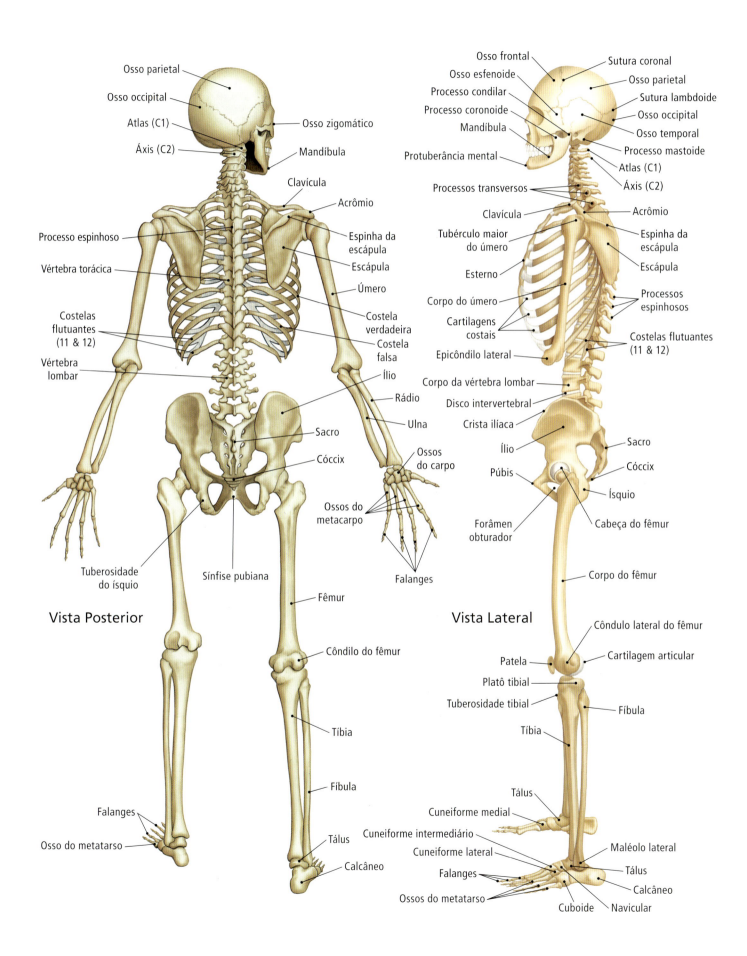

Coluna Vertebral

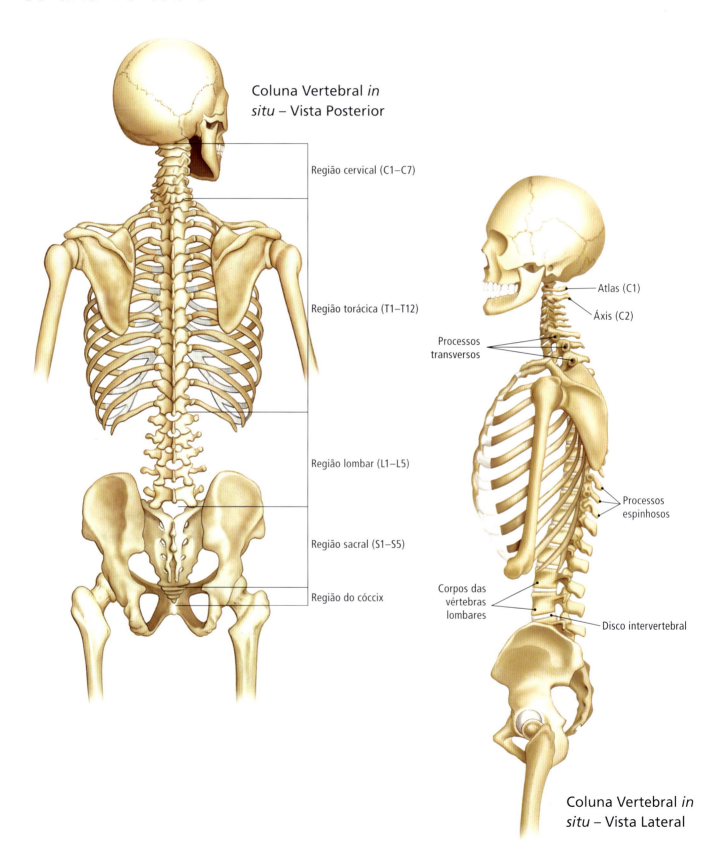

Coluna Vertebral *in situ* – Vista Posterior

Região cervical (C1–C7)
Região torácica (T1–T12)
Região lombar (L1–L5)
Região sacral (S1–S5)
Região do cóccix

Atlas (C1)
Áxis (C2)
Processos transversos
Processos espinhosos
Corpos das vértebras lombares
Disco intervertebral

Coluna Vertebral *in situ* – Vista Lateral

sistema esquelético 25

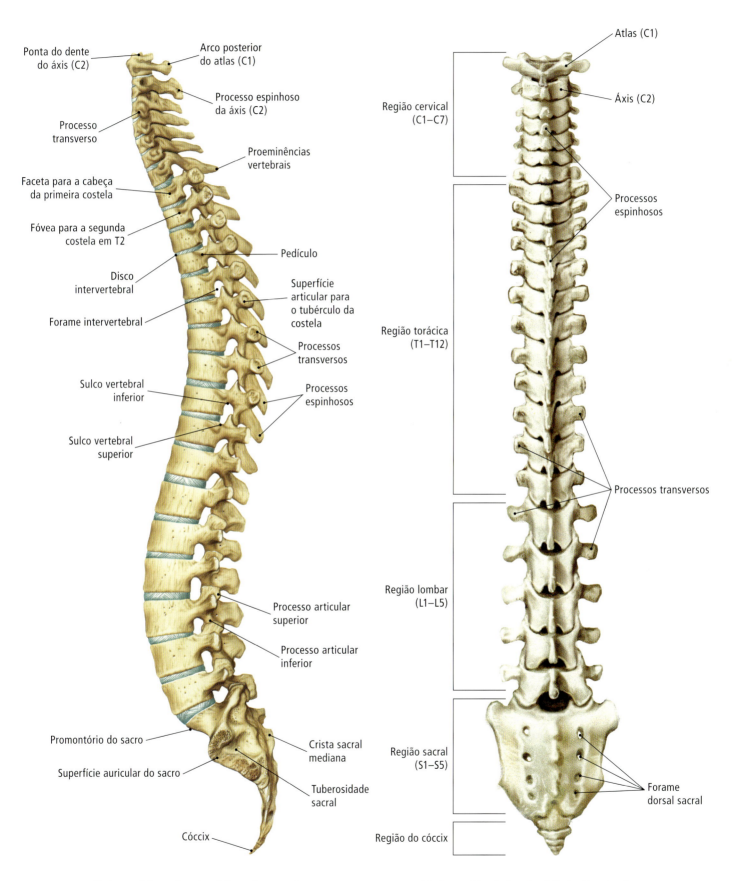

Coluna Vertebral – Vista Lateral

Coluna Vertebral – Vista Posterior

Ossos dos Membros Superior e Inferior

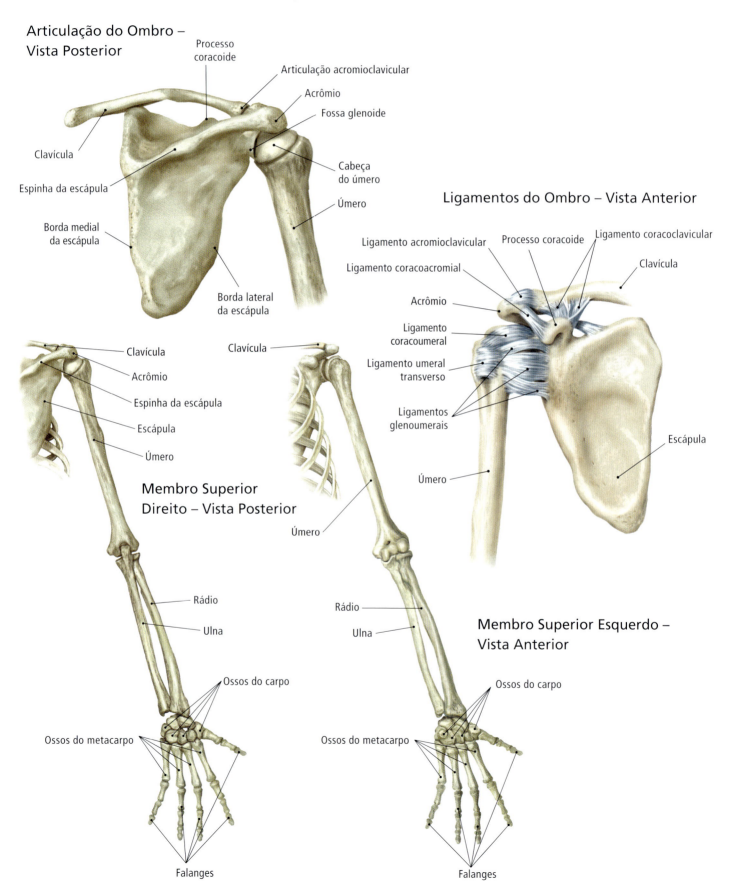

sistema esquelético 27

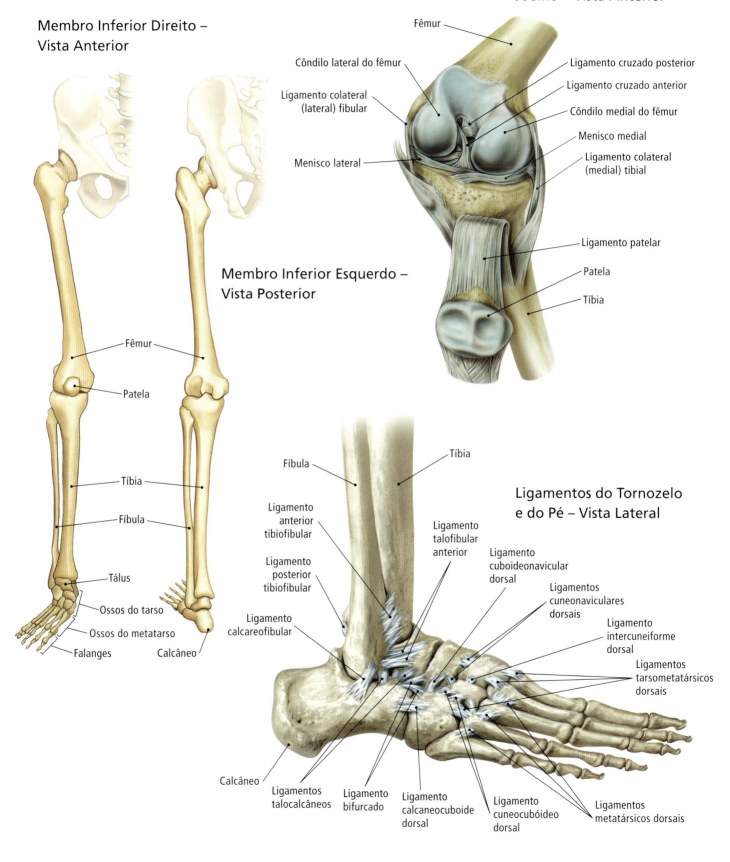

Sistema Nervoso

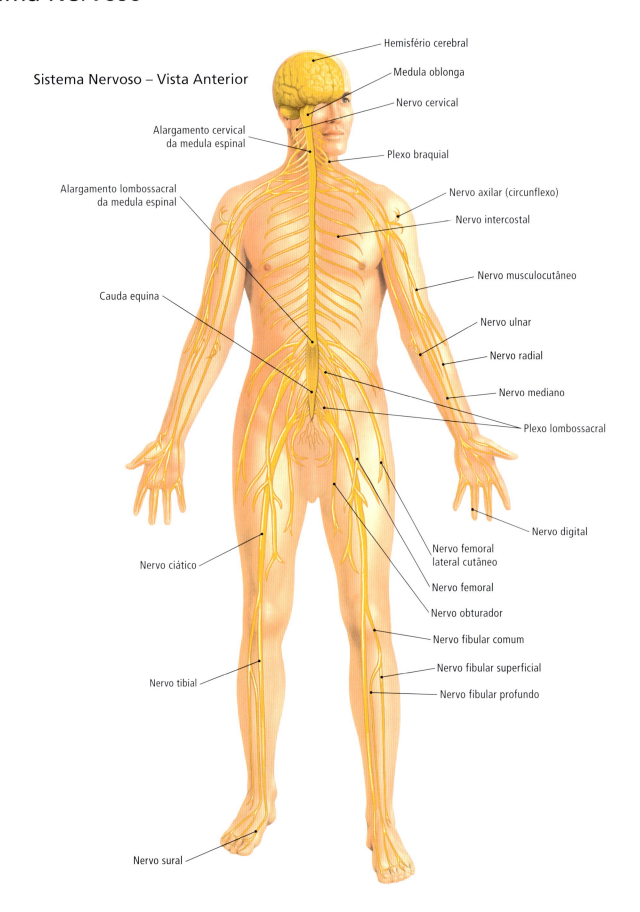

sistema nervoso 29

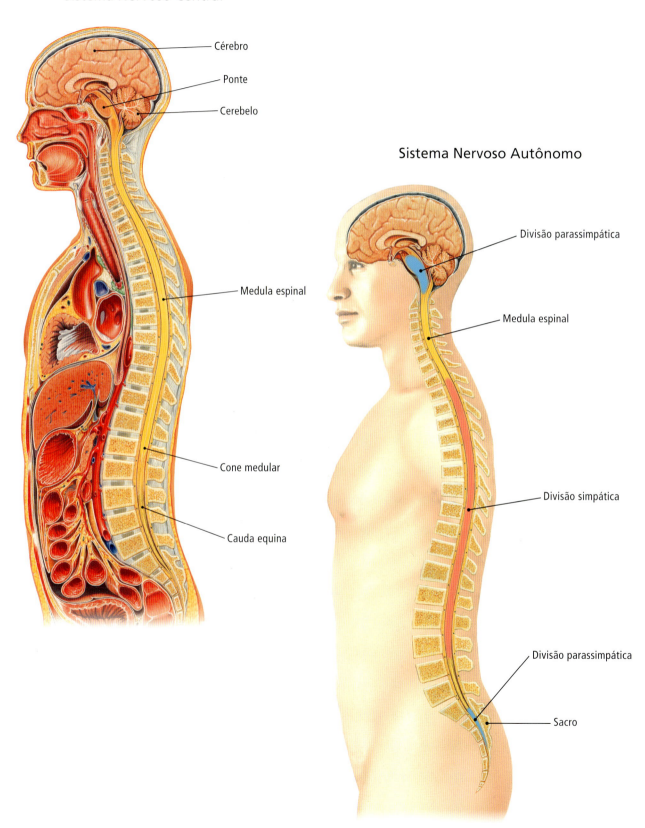

Medula Espinal

Medula Espinal – Vista de um Corte Transversal

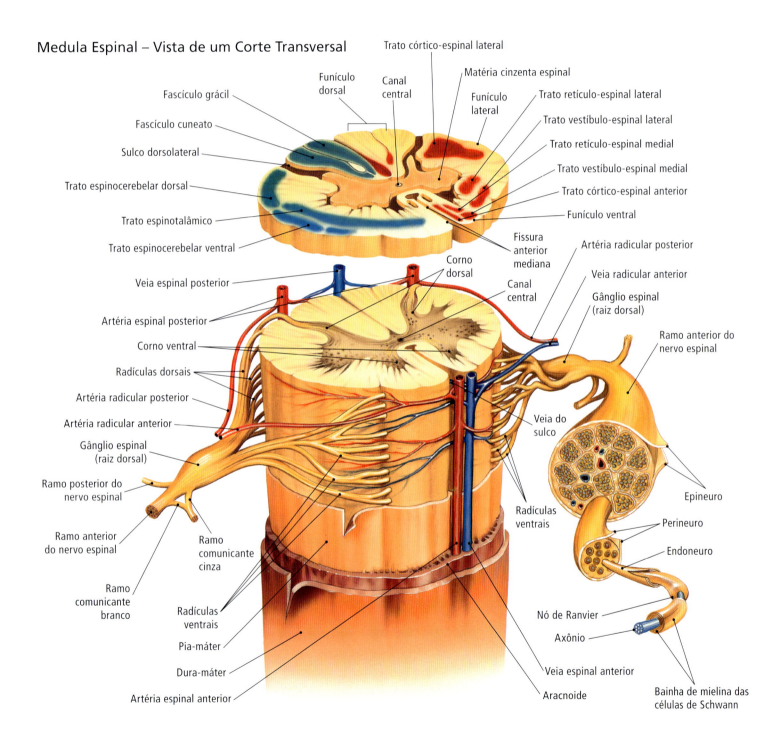

sistema nervoso 31

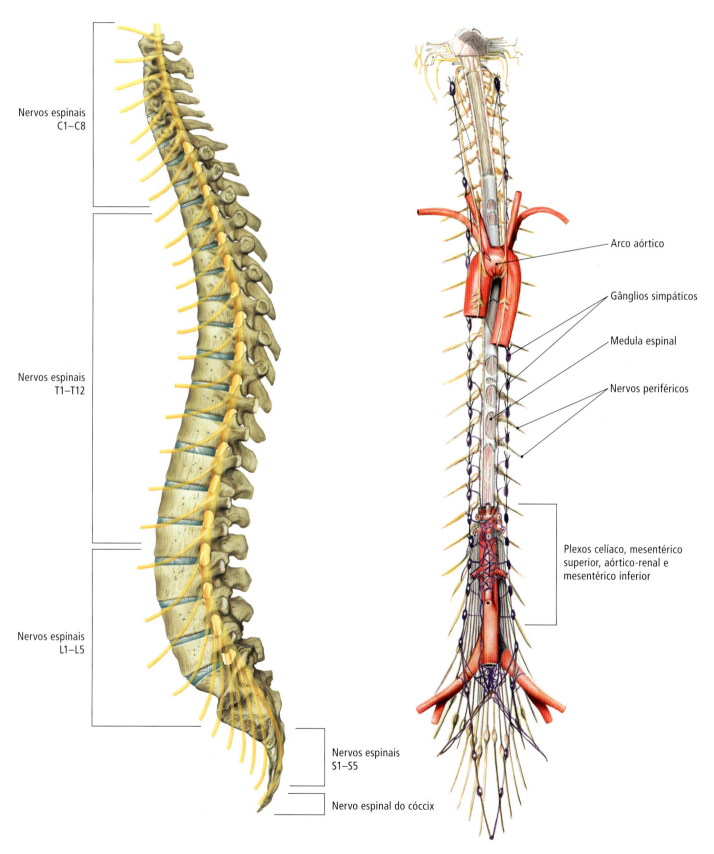

Nervos Espinais — Medula Espinal – Vista Anterior

- Nervos espinais C1–C8
- Nervos espinais T1–T12
- Nervos espinais L1–L5
- Nervos espinais S1–S5
- Nervo espinal do cóccix

- Arco aórtico
- Gânglios simpáticos
- Medula espinal
- Nervos periféricos
- Plexos celíaco, mesentérico superior, aórtico-renal e mesentérico inferior

Sistema Circulatório

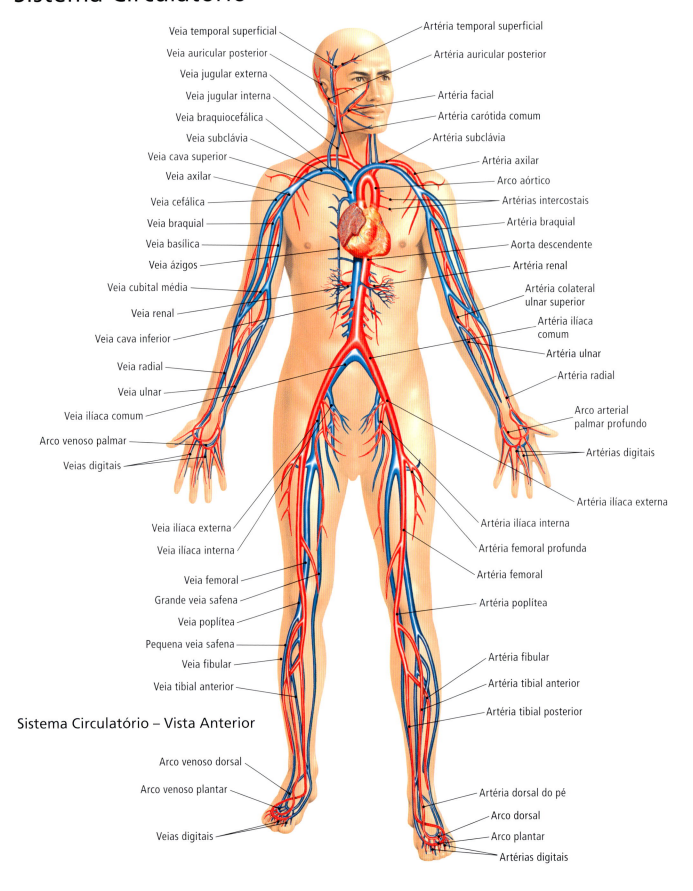

Sistema Circulatório – Vista Anterior

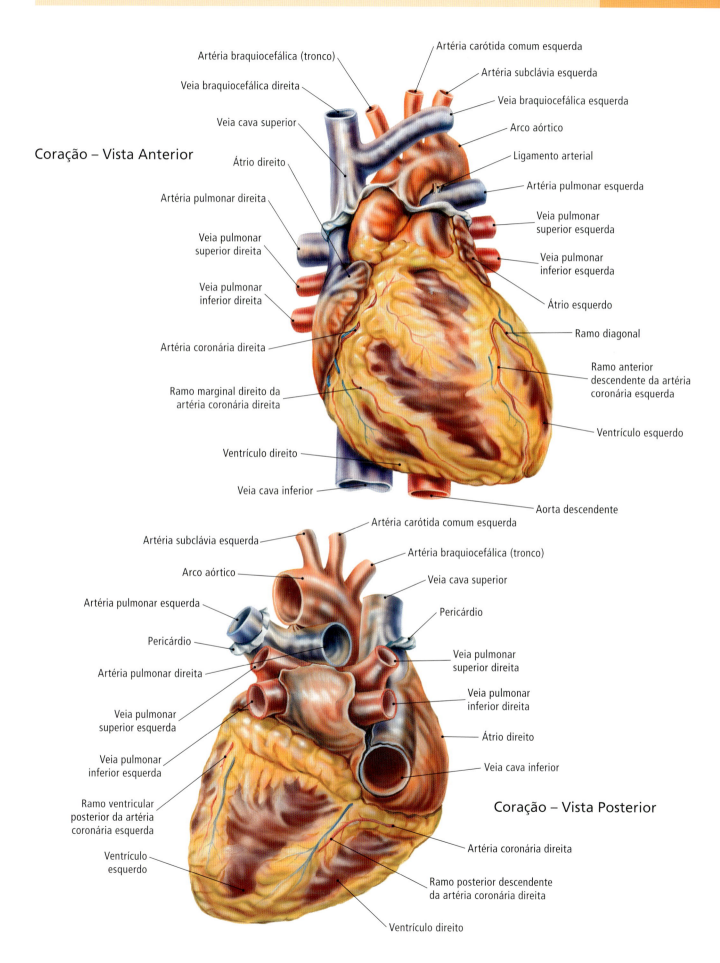

Vasos Sanguíneos dos Membros Superior e Inferior

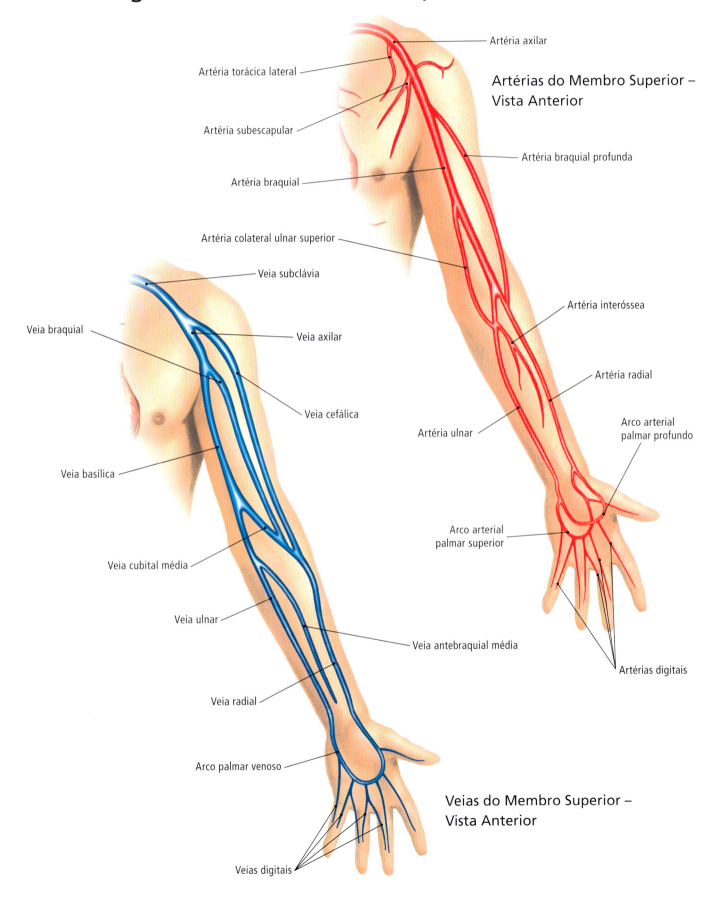

sistema circulatório 35

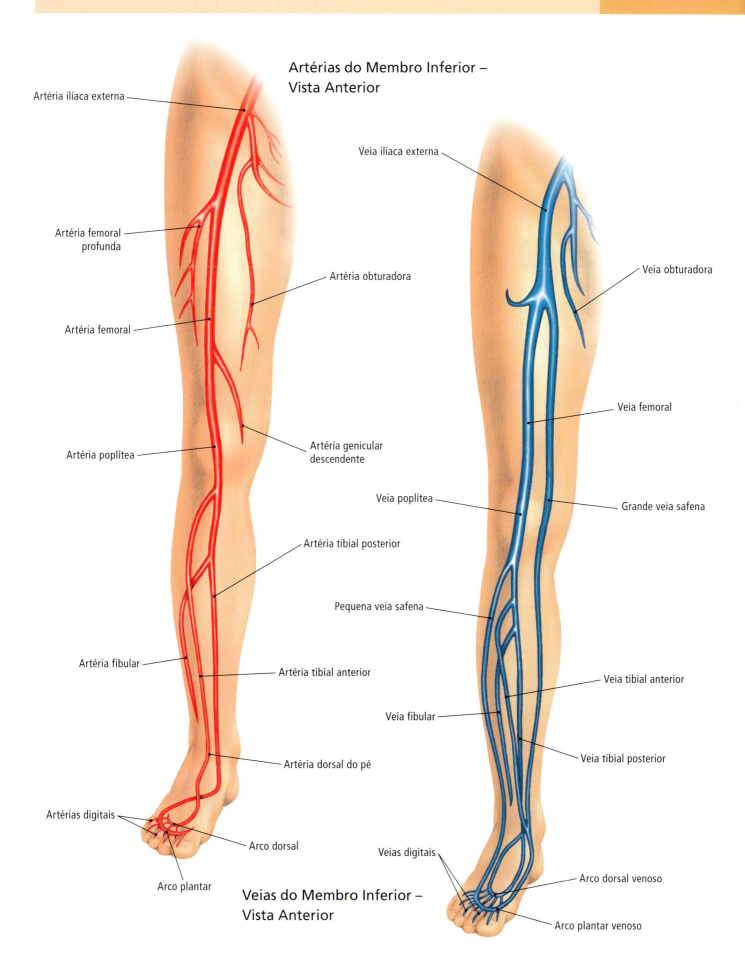

Sistema Respiratório

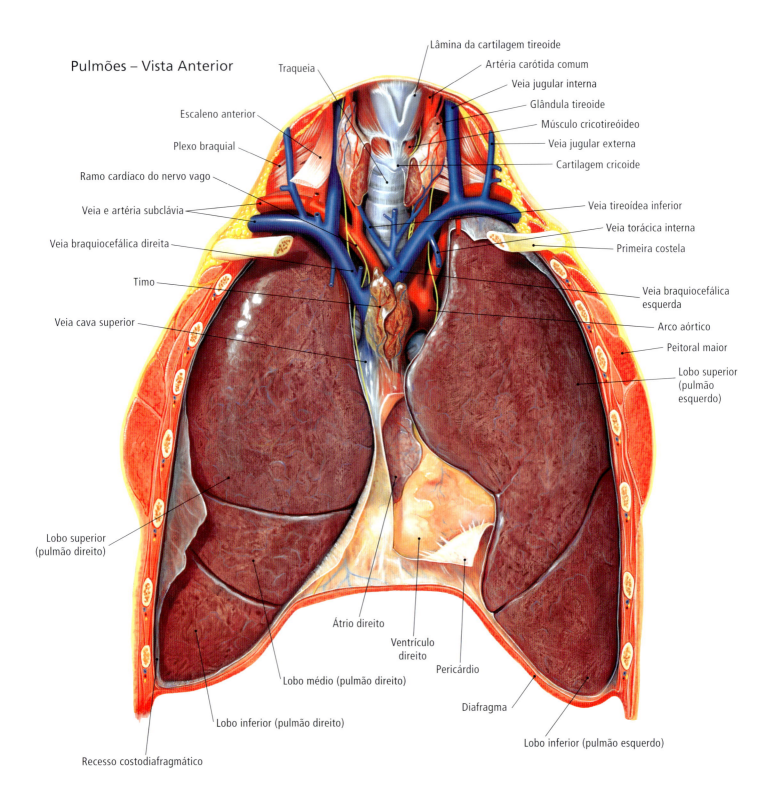

sistema respiratório 37

Sistema Respiratório – Vista Anterior

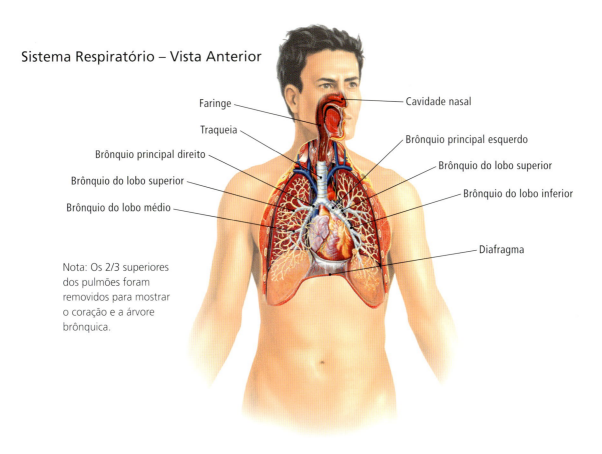

Nota: Os 2/3 superiores dos pulmões foram removidos para mostrar o coração e a árvore brônquica.

Labels: Faringe, Traqueia, Brônquio principal direito, Brônquio do lobo superior, Brônquio do lobo médio, Cavidade nasal, Brônquio principal esquerdo, Brônquio do lobo superior, Brônquio do lobo inferior, Diafragma

Diafragma – Vista Inferior

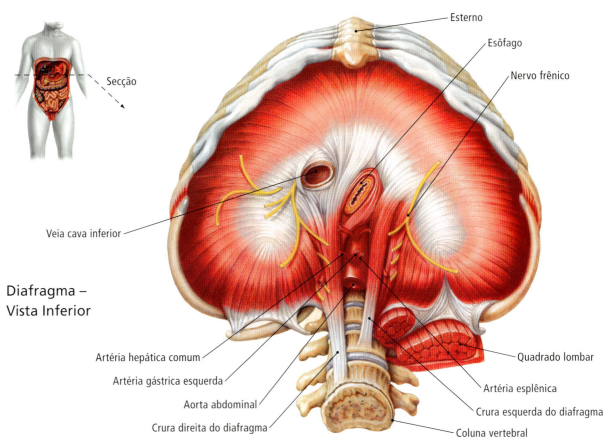

Labels: Secção, Veia cava inferior, Artéria hepática comum, Artéria gástrica esquerda, Aorta abdominal, Crura direita do diafragma, Esterno, Esôfago, Nervo frênico, Quadrado lombar, Artéria esplênica, Crura esquerda do diafragma, Coluna vertebral

Movimentos do Corpo

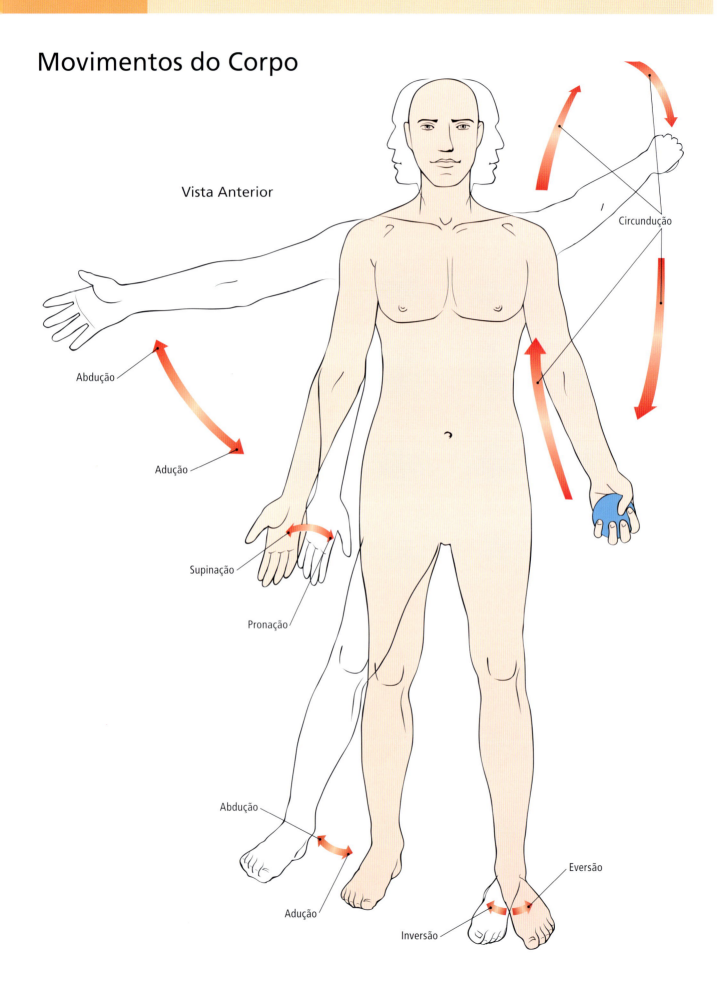

movimentos do corpo 39

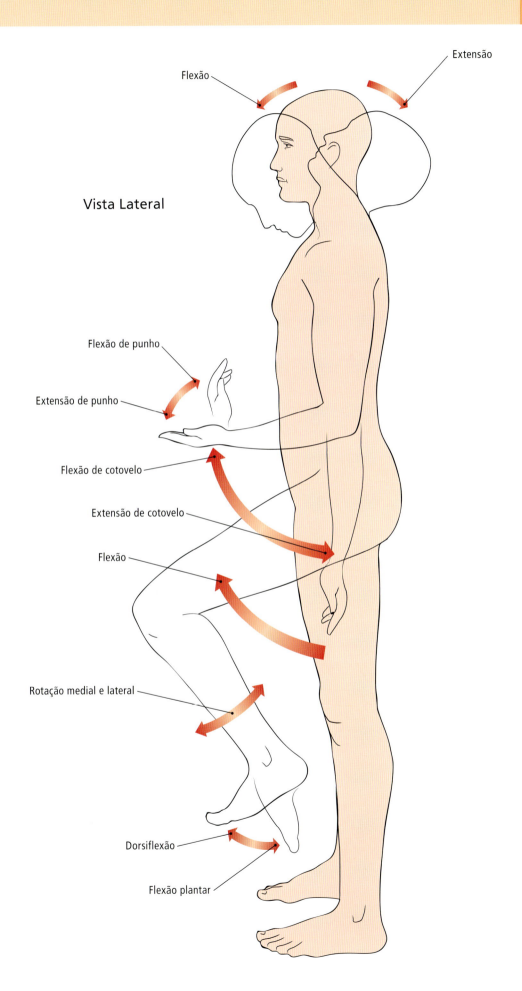

Vista Lateral

- Flexão
- Extensão
- Flexão de punho
- Extensão de punho
- Flexão de cotovelo
- Extensão de cotovelo
- Flexão
- Rotação medial e lateral
- Dorsiflexão
- Flexão plantar

Exercícios

Exercícios para o Tórax	42
Exercícios para as Costas	58
Exercícios para os Membros Superiores e Ombros	72
Exercícios para os Membros Inferiores e Glúteos	98
Exercícios para o Tronco	130

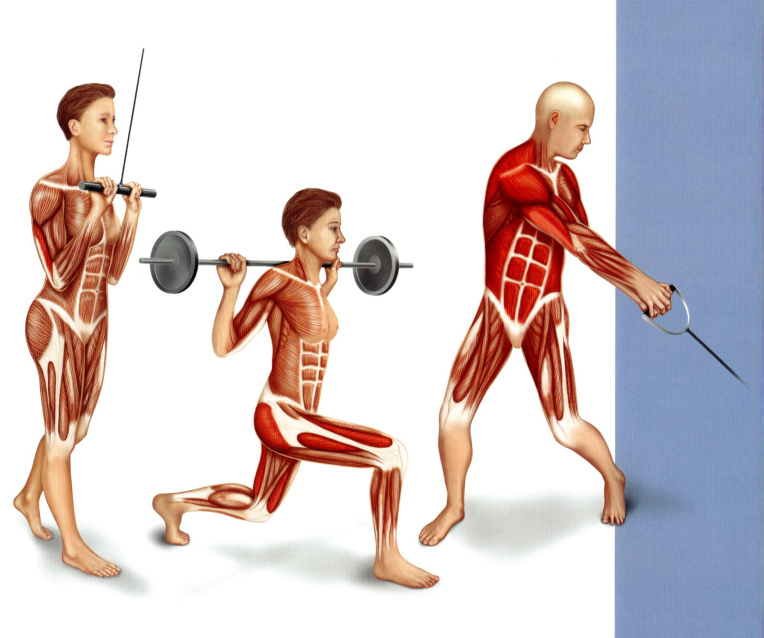

42

Exercícios para o Tórax

Um tórax forte melhora a postura, auxilia a respiração e ajuda a proteger os ombros contra lesões. O principal músculo do tórax é o peitoral maior; outros músculos incluem o peitoral menor, o serrátil anterior e os intercostais. O peitoral maior tem três ações principais: flexão, adução e rotação interna (ou medial) do ombro. Ele também é um músculo auxiliar da respiração.

A maioria dos exercícios para tórax envolve o movimento de empurrar e recruta o tríceps e os deltoides como músculos secundários. Desenvolver músculos potentes para o movimento de empurrar torna muitas tarefas mais fáceis, representando menos fadiga ao final do dia. Para atletas, treinar os músculos do tórax pode ajudar a atingir arremessos mais longos e mais fortes, aprimorando suas habilidades para empurrar oponentes, agarrar e lutar.

Supino com Halteres	44
Crucifixo com Halteres	46
Supino	48
Mergulho	50
Crossover	52
Pullover	54
Flexão de Braços	56

44 exercícios para o tórax

Supino com Halteres

Este exercício utiliza halteres para aumentar a demanda sobre os estabilizadores do ombro e da escápula. Ele complementa o supino, pois requer que ambos os braços trabalhem independentemente de modo que um lado do corpo não possa "trapacear" e deixar o outro lado realizar um trabalho extra. O supino com halteres visa os músculos peitoral, deltoide e tríceps, com um grande componente de estabilidade exigido para os músculos do manguito rotador, serrátil anterior, romboides, trapézio e grande dorsal. Este exercício ajuda a aprimorar o desempenho em muitas tarefas diárias, como o suspender e empurrar cargas, e é ideal para ser incluído caso se esteja treinando para esportes de contato, de arremesso ou ginástica.

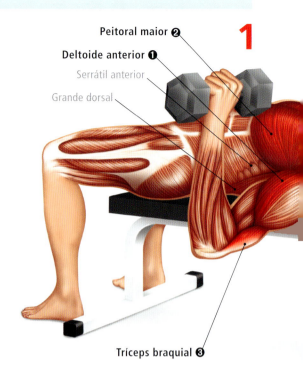

Peitoral maior ❷
Deltoide anterior ❶
Serrátil anterior
Grande dorsal

Tríceps braquial ❸

Atenção

Quando terminar, não derrube os pesos da posição deitada, pois isto pode levar a uma luxação de ombro.

como fazer

Para se posicionar, sente-se na extremidade de um banco com os halteres descansando sobre os joelhos. "Jogue" os pesos para cima em direção aos ombros e, então, deite-se sobre o banco (se começar com cargas leves, será desnecessário jogar os pesos para cima). Segure os halteres lateralmente ao tórax, com as palmas das mãos voltadas para o corpo e os cotovelos flexionados. Empurre a carga para cima e estenda os cotovelos, seguindo um arco de movimento pequeno, de modo que os halteres se unam acima do tórax. Abaixe lentamente os pesos até que seja sentido um pequeno alongamento na parte anterior do ombro, e, então, repita.

variações

FÁCIL
Se houver um histórico de lesão no ombro, limite a amplitude de movimento neste exercício e não abaixe os pesos além dos 90° do cotovelo. Esta amplitude de movimento menor reduz o papel dos estabilizadores do ombro, mas ainda permite que altas cargas sejam utilizadas.

DIFÍCIL
Utilize um banco inclinado, em vez de um banco horizontal, e reduza a carga a ser levantada. Esta configuração ainda proporciona aos músculos do tórax um ótimo treinamento, mas a mudança no ângulo do banco aumenta a carga de trabalho dos músculos do ombro e dos tríceps ao mesmo tempo.

músculos ativos

❶ Deltoide anterior
❷ Peitoral maior
❸ Tríceps braquial

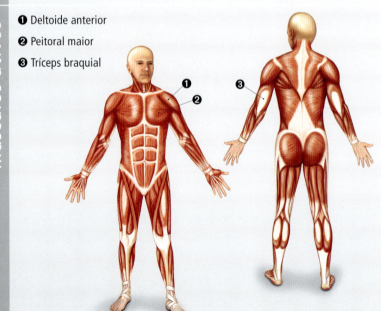

supino com halteres 45

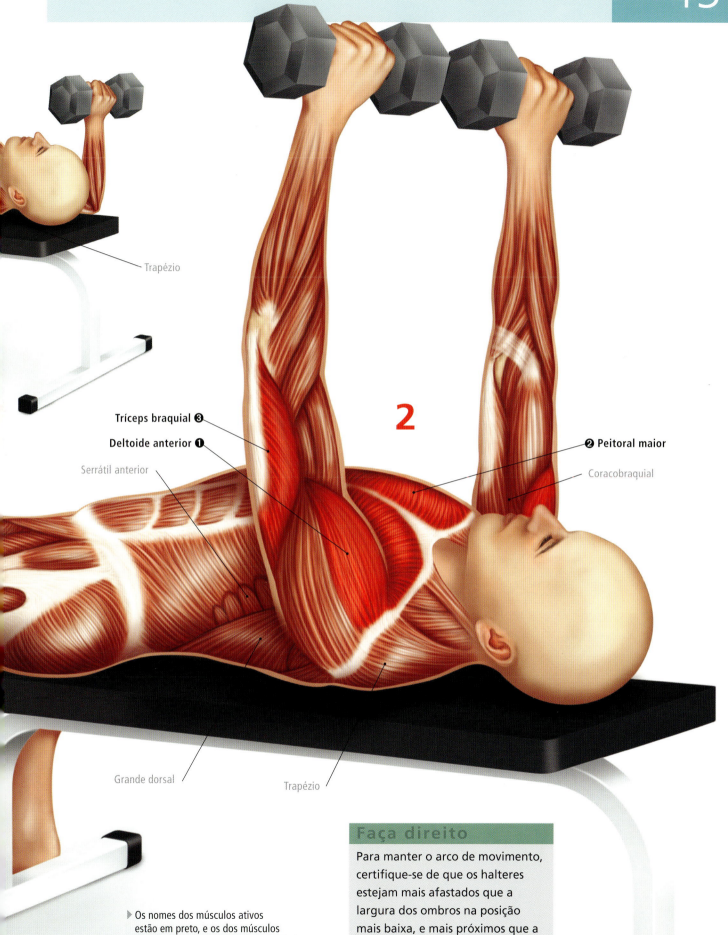

Trapézio

Tríceps braquial ❸
Deltoide anterior ❶
Serrátil anterior

❷ Peitoral maior
Coracobraquial

Grande dorsal   Trapézio

▶ Os nomes dos músculos ativos estão em preto, e os dos músculos estabilizadores, em cinza.

Faça direito
Para manter o arco de movimento, certifique-se de que os halteres estejam mais afastados que a largura dos ombros na posição mais baixa, e mais próximos que a largura do ombro no topo.

Crucifixo com Halteres

Este exercício para fortalecimento do tórax requer que o braço se mova por meio de um arco, enquanto o cotovelo se mantém em um ângulo constante. O peitoral maior é o principal músculo motor, com o deltoide recrutado para auxiliar e os flexores do cotovelo – bíceps braquial, braquiorradial e braquial – isometricamente ativos. Durante a fase excêntrica do movimento, os músculos do tórax e do braço também são alongados. Por causa do grande braço de alavanca, a quantidade de carga a ser levantada para a realização do crucifixo com halteres é significativamente menor que em um exercício equivalente para tórax, como o supino. Embora este exercício não seja tão específico para esportes como o supino, ele é eficaz como exercício para as etapas finais de reabilitação de lesões no ombro e nos cotovelos.

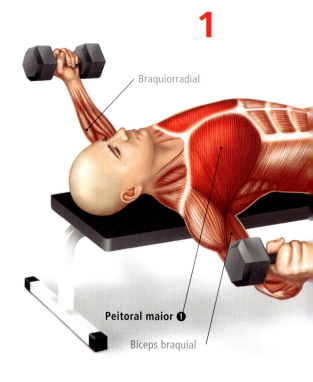

Braquiorradial

Peitoral maior ❶

Bíceps braquial

como fazer

Deite-se em um banco plano e inicie com as mãos em uma posição neutra, agarrando os halteres acima do tórax médio. Os cotovelos devem se manter ligeiramente flexionados. Abaixe os halteres lateralmente ao tórax, mantendo o ângulo do cotovelo constante, até sentir um alongamento na parte anterior do ombro e no peitoral. Traga os halteres de volta, unidos, acima da parte média do tórax.

variações

FÁCIL
Deite-se no chão, em vez de no banco. Isso limita a amplitude de movimento e reduz o alongamento nos ombros. Os músculos são mais fracos em suas posições mais alongadas ou encurtadas, portanto, realizar este exercício no chão evita que o peitoral maior se alongue até o final de sua amplitude.

DIFÍCIL
Tente o crucifixo unilateral com halteres, para isolar cada lado do tórax. Siga o mesmo movimento realizado pelo crucifixo tradicional, mas use um braço primeiro, e, então, alterne com o outro. Esta variação fornece um desafio adicional à estabilidade, que pode ser ainda maior ao realizar o exercício deitado sobre uma bola de estabilidade, em vez de um banco.

Atenção

O final do movimento é estressante e instável para articulação do ombro. Não se arrisque a sofrer uma lesão, levantando cargas que sejam excessivamente pesadas.

Faça direito

Não trave os cotovelos. Mantenha alguma flexão dos cotovelos durante todo o movimento, mas mantenha o ângulo constante.

músculos ativos

❶ Peitoral maior

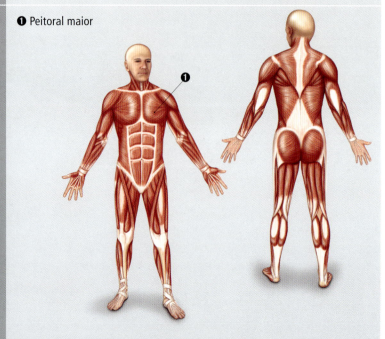

crucifixo com halteres 47

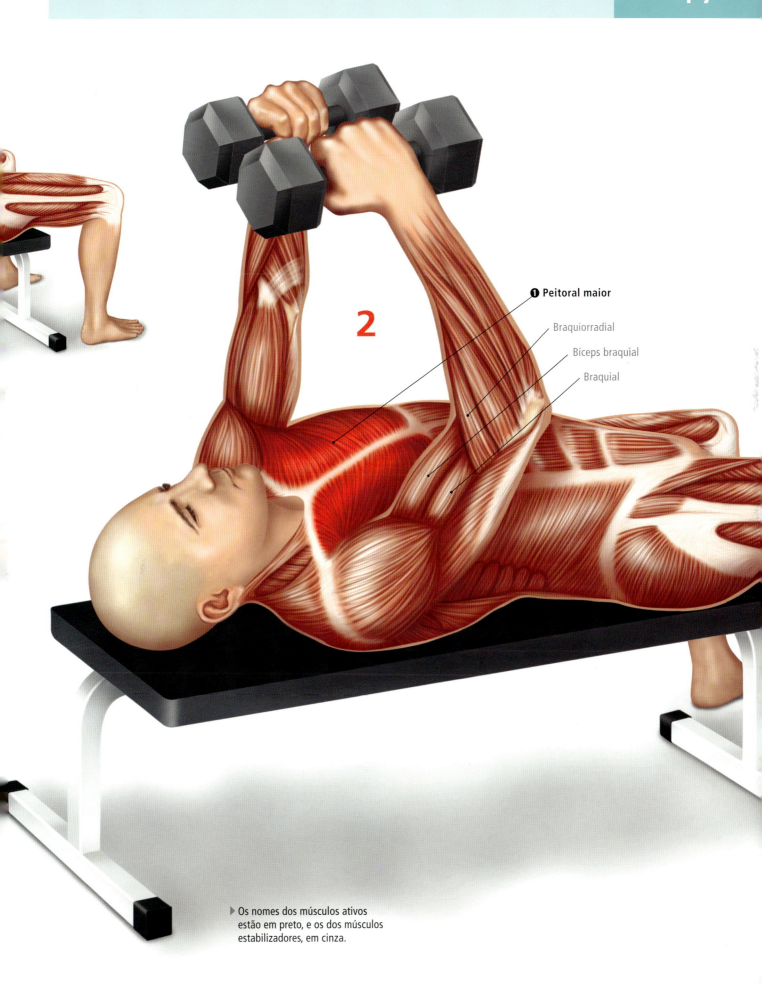

❶ Peitoral maior
Braquiorradial
Bíceps braquial
Braquial

▶ Os nomes dos músculos ativos estão em preto, e os dos músculos estabilizadores, em cinza.

Supino

Este clássico e complexo exercício envolve múltiplas articulações e visa os músculos do tórax, do ombro e dos braços. Supinos com cargas altas hipertrofiam e aprimoram a força no peitoral maior, no deltoide anterior e no tríceps braquial, enquanto também desenvolve os músculos do manguito rotador e dos estabilizadores da escápula. Este exercício pode ser realizado tanto por praticantes avançados quanto por iniciantes, porque o movimento básico é reto. Ele forma a base de praticamente todo programa de fortalecimento para a parte superior do corpo, de programas de condicionamento específico para esportes e de programas avançados de reabilitação.

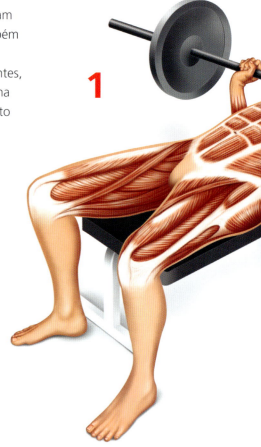

como fazer

Deite-se em um banco plano e agarre a barra com ambas as mãos ligeiramente mais afastadas que a largura dos ombros, a uma mesma distância de cada carga das extremidades. Palmas das mãos voltadas para o teto. Realize uma inspiração profunda; então, enquanto expira, levante a barra do suporte de forma que os cotovelos fiquem estendidos e travados. Na inspiração seguinte, abaixe lentamente a barra em direção ao tórax. Pare um pouco antes de tocar o tórax. Expire e empurre a carga para cima, para longe do tórax, retornando para a extensão completa do cotovelo.

variações

FÁCIL — Utilize apenas a barra livre, sem nenhum peso adicional, se estiver aprendendo o supino. Concentre-se na técnica, e em repetições suaves e controladas antes de acrescentar carga à barra.

DIFÍCIL — Experimente um supino de empunhadura fechada. Primeiro, reduza significantemente a carga da um supino normal, uma vez que a empunhadura fechada reduz o papel do peitoral maior e do deltoide, para concentrar o trabalho no tríceps. Agarre a barra com as mãos ligeiramente mais próximas que a largura dos ombros. Abaixe o peso em direção ao tórax, mantendo os cotovelos próximos ao corpo. Certifique-se de que a empunhadura não esteja muito próxima, pois isso desestabilizará a barra.

músculos ativos

❶ Peitoral maior
❷ Deltoide anterior
❸ Tríceps braquial

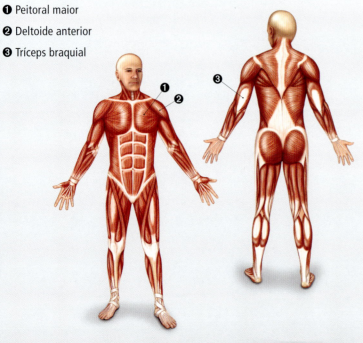

Faça direito

Não arqueie as costas com levantamentos pesados. Isto é um sinal de que a carga está muito pesada e que há risco de lesão.

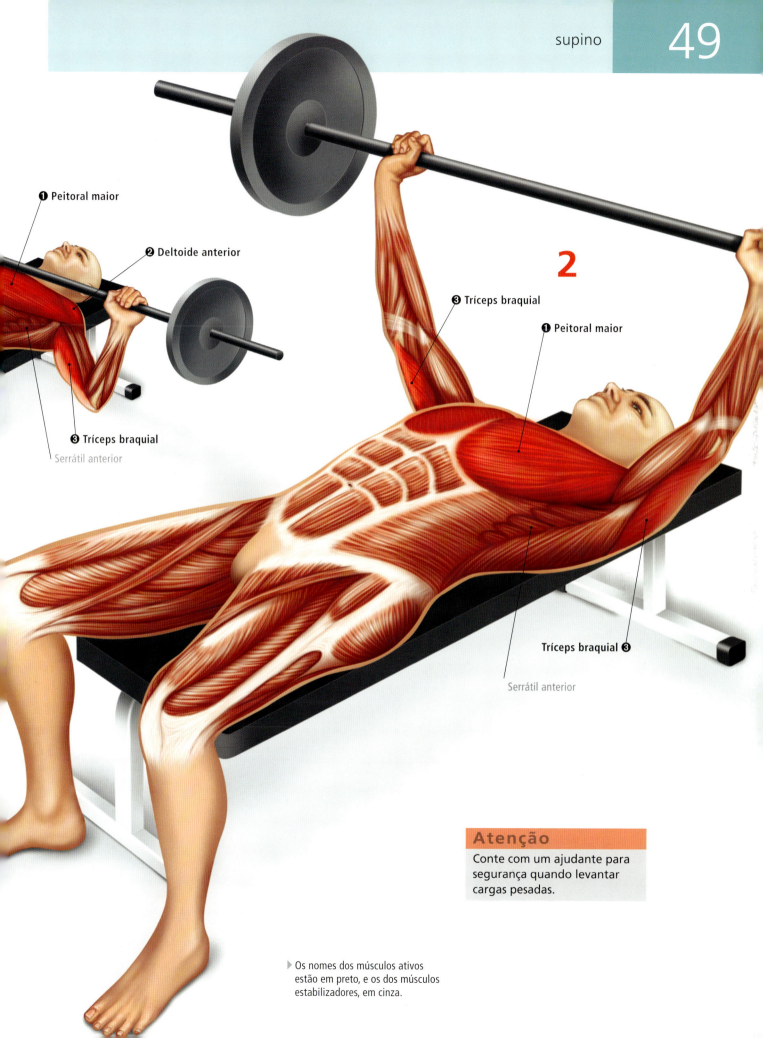

50 exercícios para o tórax

Mergulho

Este exercício com o próprio peso corporal complementa a flexão de cotovelos e a "puxada" na barra fixa, uma vez que são visados os exercícios para a parte superior do corpo, com o próprio peso corporal. O mergulho é um exercício de empurrar e, por isso, almeja primariamente o peitoral maior, o tríceps e o deltoide anterior. Alternativamente, é possível variar o mergulho para proporcionalmente focar mais o tríceps ou peitoral maior, dependendo do grau de inclinação do tronco para frente. Realizado em barras paralelas, este exercício é difícil para iniciantes porque requer do praticante força suficiente para levantar seu próprio peso corporal, e são necessários músculos abdominais fortes para estabilizar o *core* ao longo de todo o movimento. Algumas academias possuem uma máquina para mergulho assistido (e para flexão de cotovelos em barra fixa) que ajuda os praticantes que não possuem força necessária para realizá-lo sem assistência.

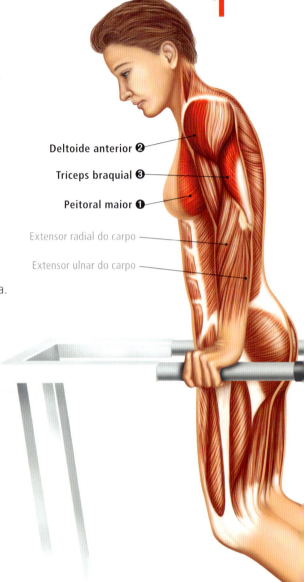

Deltoide anterior ❷
Tríceps braquial ❸
Peitoral maior ❶
Extensor radial do carpo
Extensor ulnar do carpo

como fazer

Posicione-se entre as barras paralelas e utilize um *step* de modo que as barras fiquem na altura da cintura. Agarre as barras, trave os cotovelos totalmente estendidos, flexione os joelhos e levante os pés do chão. Abaixe lentamente o corpo utilizando o controle excêntrico dos músculos extensores, até os cotovelos flexionarem a 90°. Empurre de volta até que os cotovelos fiquem completamente estendidos.

variações

FÁCIL

Mergulhos no banco são boas alternativas se estiver faltando força com a parte superior do corpo ou na ausência de uma máquina para o mergulho assistido. Sente-se em um banco com os joelhos estendidos à frente e calcanhares juntos apoiados no chão. Levante a parte superior do corpo, apoiado pelos braços. Desloque-se à frente de modo que o corpo paire em frente ao banco, não acima. Lentamente abaixe o corpo conforme o mergulho padrão e, então, empurre de volta novamente até que os cotovelos travem.

DIFÍCIL

Aumente o desafio acrescentando mais carga. Utilize um cinto, que possibilita fixar peso extra, pendurado entre as pernas.

músculos ativos

❶ Peitoral maior
❷ Deltoide anterior
❸ Tríceps braquial

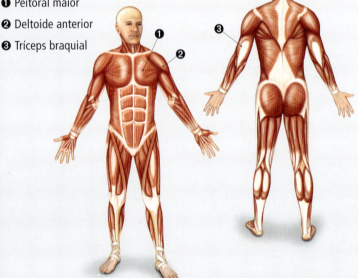

Atenção

Adicionar uma carga extra que seja significativa para o mergulho pode causar dilacerações no peitoral maior e no tríceps. Não acrescente muita carga muito rapidamente.

▶ Os nomes dos músculos ativos estão em preto, e os dos músculos estabilizadores, em cinza.

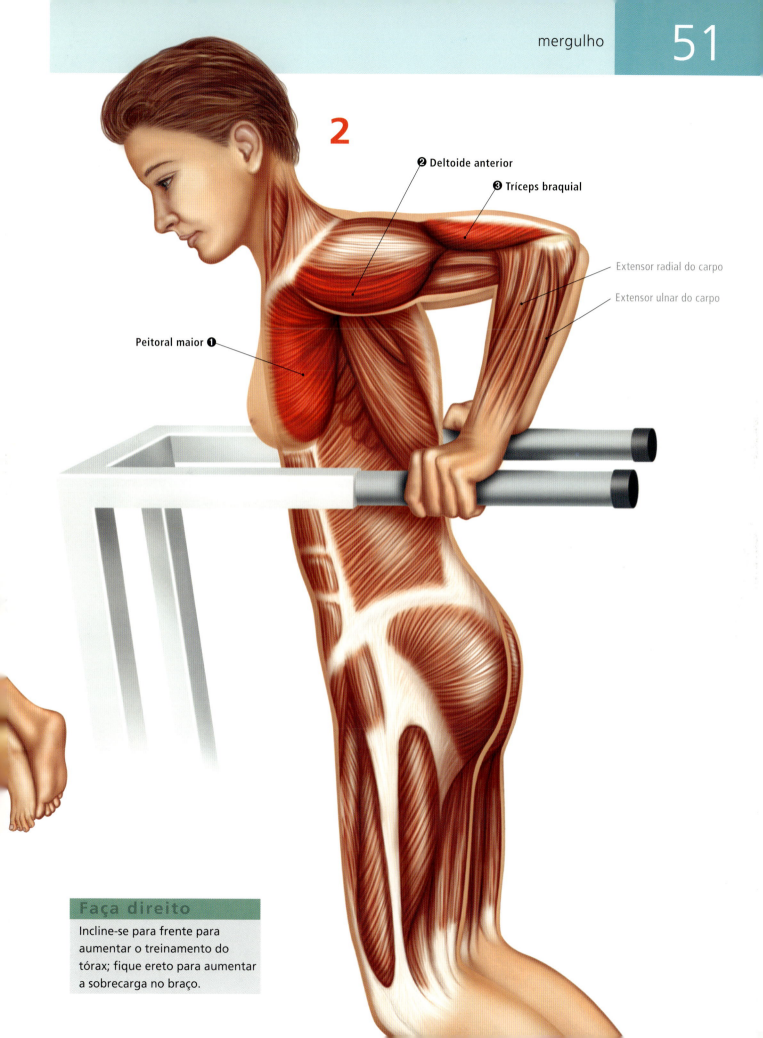

52 exercícios para o tórax

Crossover

Este exercício, também conhecido como crucifixo com polias, isola os músculos do tórax. A fase concêntrica do movimento ajuda a fortalecer o tórax, enquanto a fase excêntrica fornece um bom alongamento para o tórax e os ombros. Muitos praticantes realizam superséries de *crossovers* com outros exercícios para o tórax, como o supino ou crucifixo com halteres. Utilize este exercício como uma alternativa para o crucifixo com halteres para acrescentar variedade às rotinas. O *crossover* é um bom exercício de fortalecimento para esportes que envolvem o arremesso, por causa de sua característica unilateral e similaridade com o movimento de arremesso. Ajuste a altura do cabo e a posição do corpo para sentir as diferentes partes do músculo ativo, ou para tornar o movimento mais específico a um esporte.

como fazer

Posicione-se de pé, no meio do aparelho de *crossover*, com as polias ajustadas acima da altura da cabeça, igual em ambos os lados. Agarre as manoplas com as palmas das mãos voltadas para baixo, os ombros rodados internamente, e os quadris flexionados ligeiramente. Contraia os músculos do tórax para puxar os braços para baixo e para dentro, simulando um movimento de abraçar. Mantenha os cotovelos em um ângulo constante ao longo de todo o movimento. Retorne para a posição inicial com um movimento lento e controlado.

variações

FÁCIL Desça as polias logo abaixo da altura do ombro e realize o exercício padrão, conforme descrito anteriormente. Se a carga for muito alta, a técnica sofrerá e a efetividade do exercício será perdida. Utilize cargas leves a moderadas e foque na posição durante todo o tempo.

DIFÍCIL *Crossovers* com polias altas e médias fornecem treinamento para todo o tórax para praticantes de cargas avançadas. Para *crossovers* de polias a média altura, fique ereto, de pé e flexione horizontalmente os ombros para o encontro dos braços à frente do tórax. Para *crossovers* com polias altas, inicie abaixo dos ombros e una as mãos acima da cabeça.

músculos ativos

❶ Peitoral maior

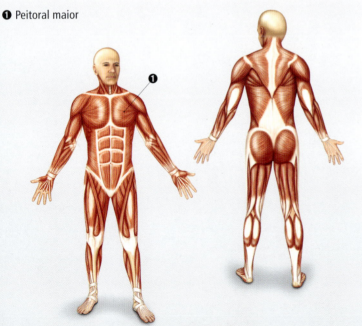

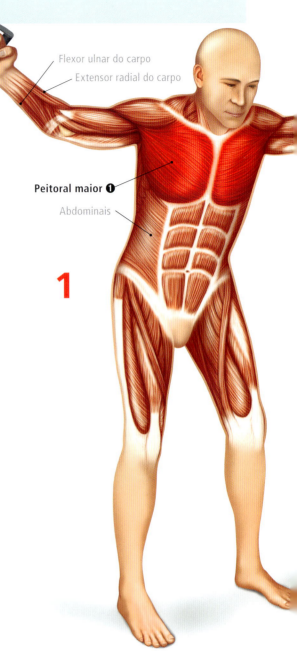

Flexor ulnar do carpo
Extensor radial do carpo
Peitoral maior ❶
Abdominais

1

Atenção

Não deixe os braços serem puxados de volta muito rapidamente, pois isso poderá causar luxações no ombro.

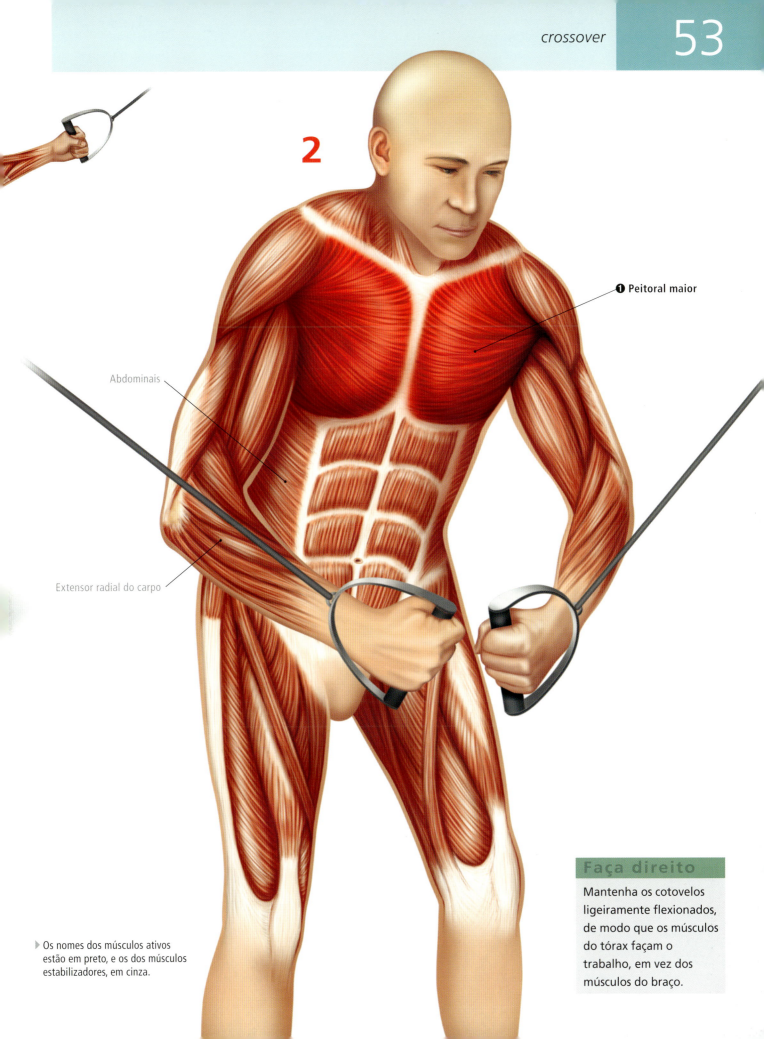

54 exercícios para tórax

Pullover

Este exercício para tórax e costas cria um grande alongamento para os músculos peitorais, os músculos laterais e os músculos abdominais. Os iniciantes podem achar o *pullover* difícil e intimidador, uma vez que o movimento requer ao praticante levantar um haltere sobre o rosto. Por essa razão, o melhor é iniciar com uma carga leve. Aumente lentamente a carga, à medida que passe a se sentir completamente confortável com a técnica. O *pullover* é um exercício excelente para esportes de arremesso, pois desenvolve força e potência. O componente de alongamento melhorará a postura em qualquer pessoa que possuir ombros encurtados ou cifose torácica – trabalhadores de escritório geralmente se encaixam nesta descrição.

Atenção
A amplitude de movimento varia de acordo com a flexibilidade individual: não alongue excessivamente.

Faça direito
Mantenha os cotovelos ligeiramente flexionados e alinhados aos ombros ao longo de todo o movimento.

como fazer: Sente-se em um banco e agarre um haltere em uma das terminações com as mãos unidas, com as palmas voltadas uma para a outra. Deite-se de costas cuidadosamente, mantendo a parte inferior das costas em uma posição neutra. Estenda completamente os cotovelos, segurando a carga diretamente sobre o rosto. Lentamente, leve o haltere para trás sobre a cabeça. Mantenha os abdominais contraídos para manter uma coluna neutra. Abaixe o peso para trás até sentir um alongamento no tórax e nos ombros. Mantendo os cotovelos estendidos, empurre a carga verticalmente para a posição inicial.

variações

FÁCIL: Muitas academias possuem uma máquina de *pullover* que permite realizar o mesmo movimento que o exercício padrão, porém sem a necessidade de controle do *core* ou risco de lesão com a queda do haltere.

DIFÍCIL: Tente realizar o movimento de pé, puxando um cabo para baixo. Esta variação aumenta a demanda sobre a estabilidade do *core* e trabalha os músculos da parte posterior do ombro e grande dorsal. Manter uma coluna vertebral neutra enquanto realiza o movimento de pé é um desafio significativo.

músculos ativos
❶ Peitoral maior
❷ Grande dorsal

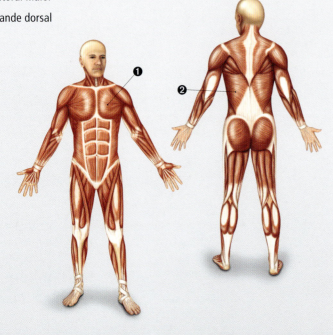

▶ Os nomes dos músculos ativos estão em preto, e os dos músculos estabilizadores, em cinza.

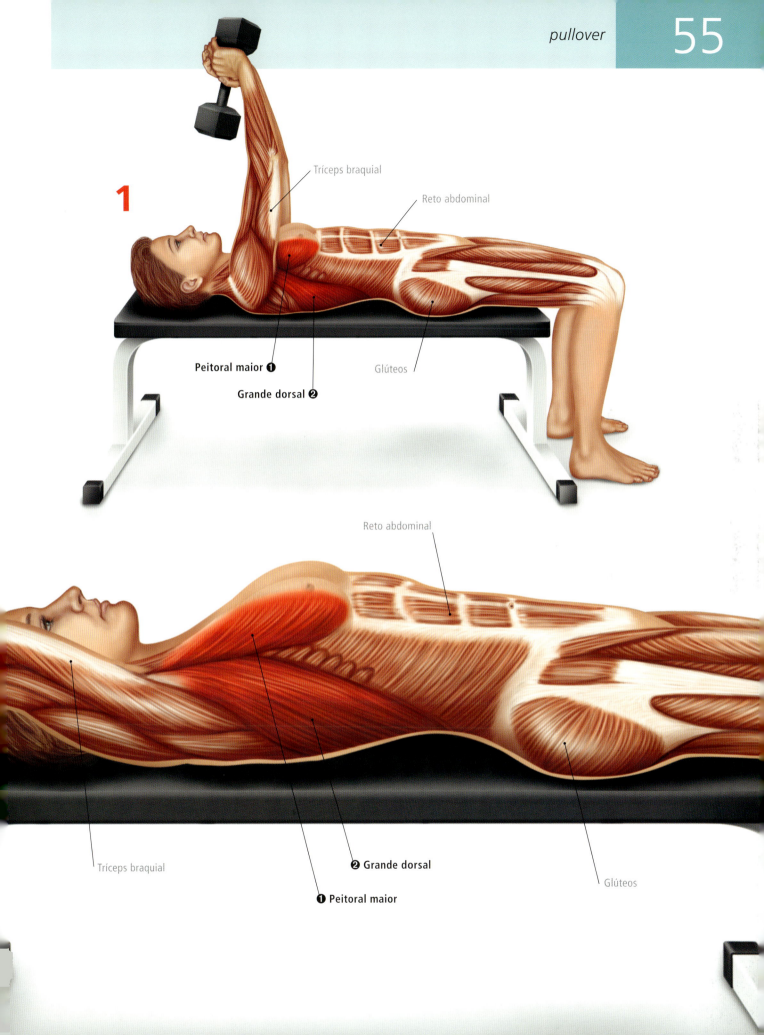

56 exercícios para o tórax

Flexão de Braços

Este exercício clássico é altamente eficaz para aumentar a força de todo o corpo. A flexão de braços visa inicialmente os músculos do tórax, os braços e os ombros, mas também requer apoio de outros músculos. Em virtude da ampla gama de músculos integrados ao exercício, a flexão de braços aprimora a força da parte superior do corpo e do *core*. Ele beneficia os músculos abdominais à medida que os contrai e alonga simultaneamente. Quando os músculos da parte inferior das costas contraem para estabilizar a postura, os abdominais são alongados involuntariamente. O quadríceps também é ativado para manter a postura adequada, dando às pernas um treinamento secundário. Inclua a flexão de braços em rotinas para estabilizar os ombros, uma vez que desenvolve tanto os músculos da escápula quanto do manguito rotador. Este exercício não exige nenhum equipamento, portanto, a flexão de braços é bem adequada para rotinas diárias de manutenção.

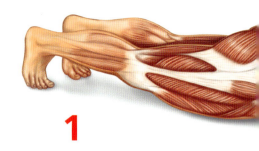

1

Atenção
Encolher os ombros enquanto a flexão de braços é realizada pode desestabilizar os braços.

como fazer

Para começar, deite-se no chão com as mãos ao lado dos ombros, dedos paralelos ao corpo e pés sobre seus dedos. Alinhe os braços, levantando o corpo e as pernas do chão. Retorne para a posição inicial flexionando os cotovelos, abaixando lentamente o corpo até que paire ligeiramente acima do chão.

variações

FÁCIL Apoie os joelhos no chão na posição inicial se estiver faltando força na parte superior do corpo. Crie um plano da cabeça aos joelhos à medida que a flexão de braços é realizada. Certifique-se de que o corpo não flexione nos quadris, uma vez que isso causa a perda de eficácia do exercício.

DIFÍCIL Coloque as mãos juntas sob o corpo para focar o tríceps, ou coloque-as afastadas além dos ombros para almejar os músculos do tórax. Enquanto realiza uma série básica de flexões de braço, eleve cada perna para trabalhar a parte inferior das costas e os músculos dos glúteos.

músculos ativos

❶ Deltoide anterior
❷ Peitoral maior
❸ Serrátil anterior
❹ Tríceps braquial

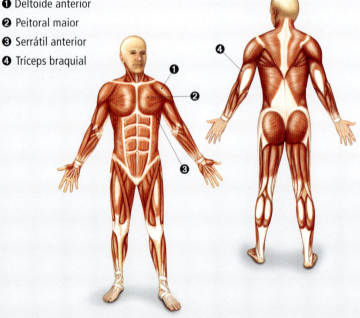

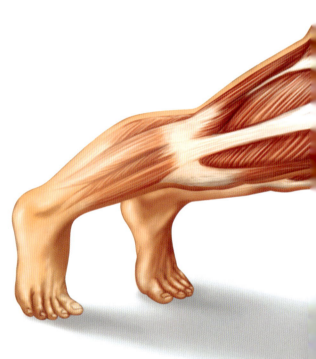

Faça direito
Quando estiver levantando para a posição de extensão de cotovelos, mantenha o corpo como uma superfície plana da cabeça aos tornozelos.

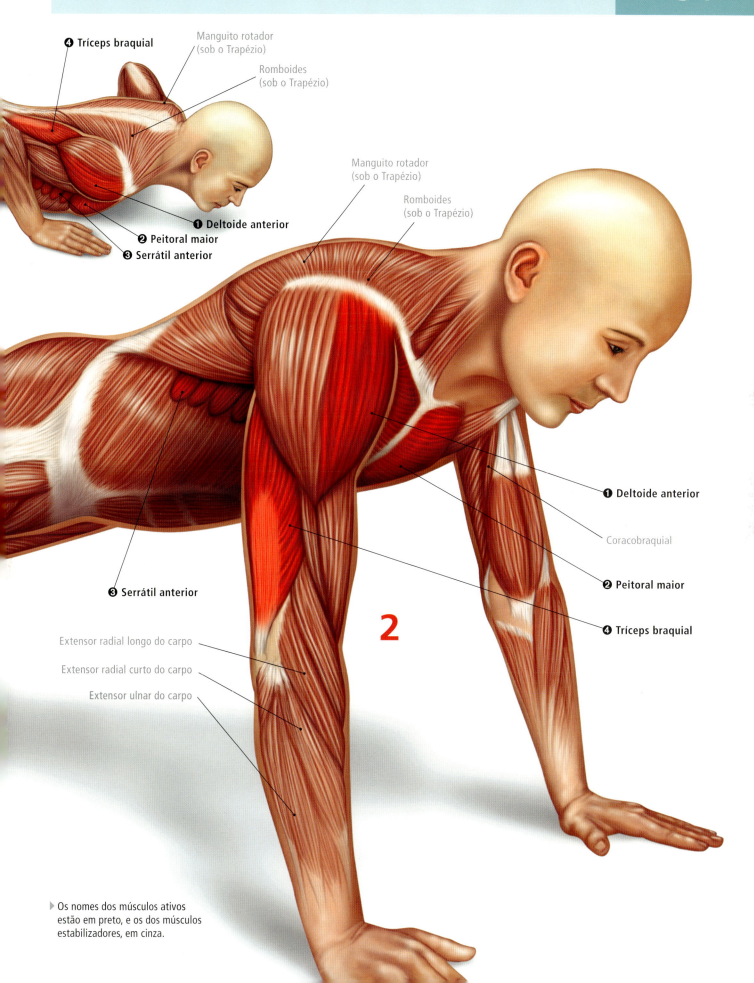

Exercícios para as Costas

Como os músculos das costas não são vistos no espelho, eles podem ser negligenciados durante os treinamentos, em prol de exercícios para tórax, ombro e braço. Não cometa esse erro. Os músculos das costas produzem a força para movimentos de puxar e levantar, apoiam e protegem a coluna vertebral, e ajudam a controlar a escápula. Treinar esses músculos auxilia no desempenho de outros exercícios e de um grande número de atividades esportivas, melhora a postura e ajuda a evitar lesões causadas por programas de treinamentos desequilibrados.

Escolha uma combinação que almeje tanto a parte superior quanto a inferior das costas. Para iniciantes, o objetivo é aprender a técnica correta, usando levantamentos básicos. Para aqueles com uma técnica desenvolvida e uma base forte, aumente a variedade, o volume e a intensidade do regime de treinamento com pesos.

Puxada Anterior	60
Flexão de Cotovelos na Barra Fixa	62
Remada com Barra	64
Remada Sentada	66
Crucifixo Invertido (*Reverse Fly*)	68
Remada Unilateral	70

60 exercícios para as costas

Puxada Anterior

Este conhecido exercício é ideal para aumentar a força em praticantes iniciantes e avançados. Ele visa os músculos das costas, dos ombros, e dos braços, particularmente o grande dorsal e o bíceps, enquanto os flexores do quadril e os músculos abdominais trabalham para estabilizar o praticante no banco. Outros músculos das costas são ativados para controlar e retrair a escápula. A puxada anterior pode melhorar a postura e é recomendado para esportes que envolvem movimentos de agarre e puxada. Este é um exercício de academia deve ser realizado apenas em uma máquina apropriada.

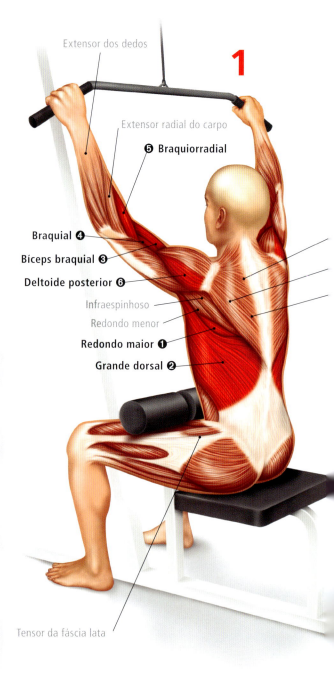

Extensor dos dedos
Extensor radial do carpo
❺ Braquiorradial
Braquial ❹
Bíceps braquial ❸
Deltoide posterior ❻
Infraespinhoso
Redondo menor
Redondo maior ❶
Grande dorsal ❷
Tensor da fáscia lata

como fazer

Coloque as mãos na barra, mais afastadas que a largura dos ombros, com as palmas voltadas para fora do corpo. Sente-se de forma ereta, com as coxas presas firmemente sob o suporte. Puxe a barra para baixo até que ela esteja abaixo do queixo, aproximando as escápulas. Abaixe a carga em um movimento suave e controlado até que os braços estejam alinhados.

variações

FÁCIL
Se estiver com problemas em manter a preensão na barra, tente uma puxada anterior com "pegada fechada". Agarre a barra com as mãos ligeiramente mais próximas que a largura dos ombros e com as palmas das mãos voltadas para o corpo. Puxe a barra para baixo até que ela esteja abaixo do queixo, aproximando as escápulas. Abaixe a carga em um movimento suave e controlado até que os braços estejam alinhados.

DIFÍCIL
Substitua a barra por uma conexão com corda. Isto proporciona um ótimo treinamento para os braços e para as costas, enquanto realmente desafia a empunhadura.

músculos ativos

❶ Redondo maior
❷ Grande dorsal
❸ Bíceps braquial
❹ Braquial
❺ Braquiorradial
❻ Deltoide posterior

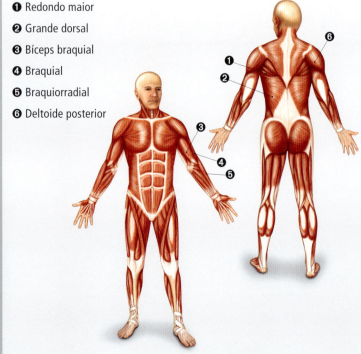

Atenção
Puxar a barra para baixo, atrás da cabeça, sobrecarrega a cápsula articular do ombro e pode provocar lesões no pescoço.

Faça direito
Mantenha uma postura ereta durante todo o movimento e evite inclinar as costas.

puxada anterior 61

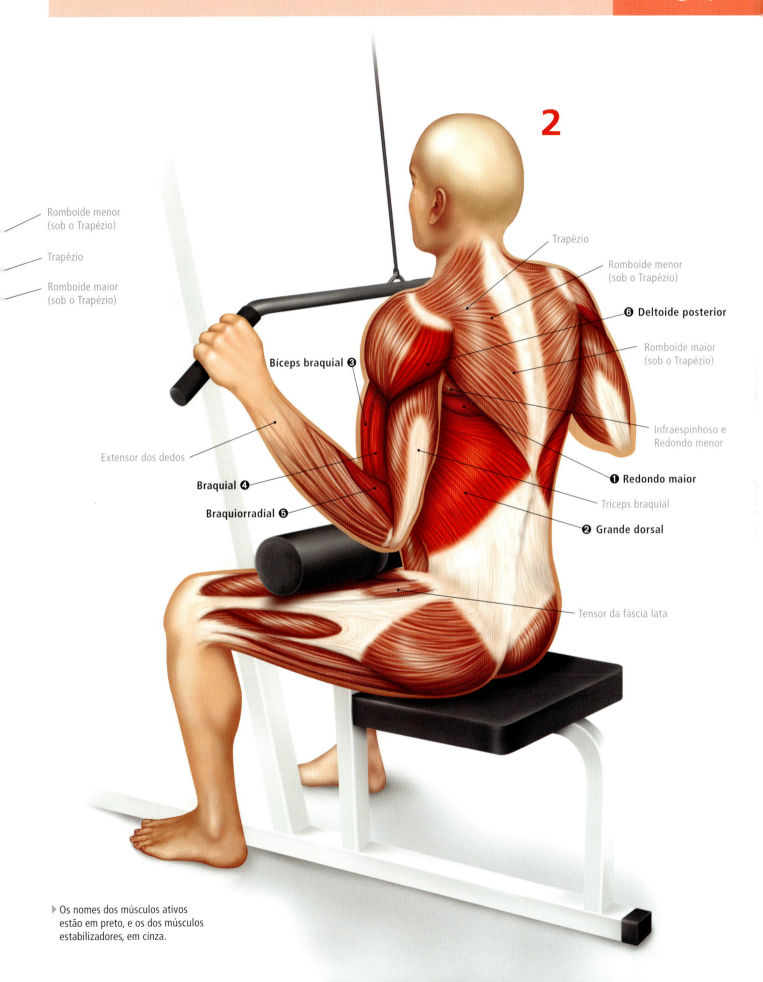

> Os nomes dos músculos ativos estão em preto, e os dos músculos estabilizadores, em cinza.

exercícios para as costas

Flexão de Cotovelos na Barra Fixa

Este é um exercício de fortalecimento que a maioria das pessoas acha difícil, uma vez que o praticante precisa levantar seu próprio peso corporal. A flexão de cotovelo na barra desenvolve os músculos das costas, do ombro e do braço, particularmente o grande dorsal e o bíceps, além de proporcionar força de preensão nos dedos, na mão e nos antebraços. Os músculos abdominais também recebem um bom treinamento por causa da estabilização necessária para todo o *core*. Este exercício é recomendável para qualquer esporte que envolva a preensão, luta e movimentos de puxar, como as artes marciais ou alpinismo. Exige-se uma barra fixa em academia ou em um ambiente externo de escalada ao ar livre, ou pode ser realizado em casa, em barras instaladas no vão da porta.

Atenção

Cair rapidamente para a posição inicial pode levar à hiperextensão dos cotovelos e deslocar as articulações dos ombros.

como fazer

Inicie com as mãos na barra, afastadas na largura dos ombros, com as palmas das mãos voltadas para o corpo. Fique suspenso com os joelhos ligeiramente flexionados e a cabeça ereta. Em um movimento suave, puxe o corpo para cima até que o queixo fique acima da altura da barra e, então, lentamente, desça o corpo até a posição inicial. Certifique-se de que os braços estejam totalmente estendidos quando o exercício for concluido.

variações

FÁCIL
Conte com um auxiliar como suporte para ganhar força se o exercício for novidade ou se achar difícil manter a técnica correta. Enquanto se encontra na posição inicial, flexione os joelhos de forma que o auxiliar segure os tornozelos. Se necessário, empurre esse suporte, enquanto estiver levantando o corpo em direção à barra.

DIFÍCIL
Realize uma "puxada na barra" para trabalhar os músculos do meio das costas. A puxada na barra é realizada exatamente da mesma forma que a flexão de cotovelos na barra fixa, exceto pelo fato de as mãos serem posicionadas na barra com as palmas voltadas para fora do corpo. Esta técnica é a favorita em serviços militares e de emergência.

músculos ativos

❶ Trapézio
❷ Deltoide posterior
❸ Redondo menor
❹ Redondo maior
❺ Bíceps braquial
❻ Braquial
❼ Braquiorradial
❽ Grande dorsal
❾ Romboide maior
❿ Romboide menor

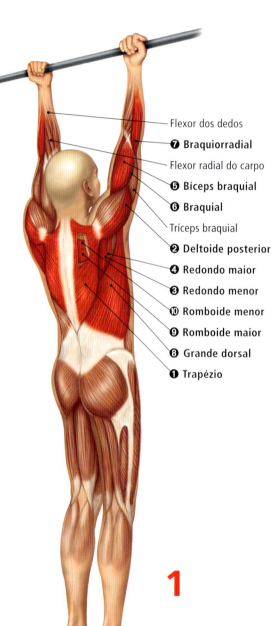

- Flexor dos dedos
- ❼ Braquiorradial
- Flexor radial do carpo
- ❺ Bíceps braquial
- ❻ Braquial
- Tríceps braquial
- ❷ Deltoide posterior
- ❹ Redondo maior
- ❸ Redondo menor
- ❿ Romboide menor
- ❾ Romboide maior
- ❽ Grande dorsal
- ❶ Trapézio

1

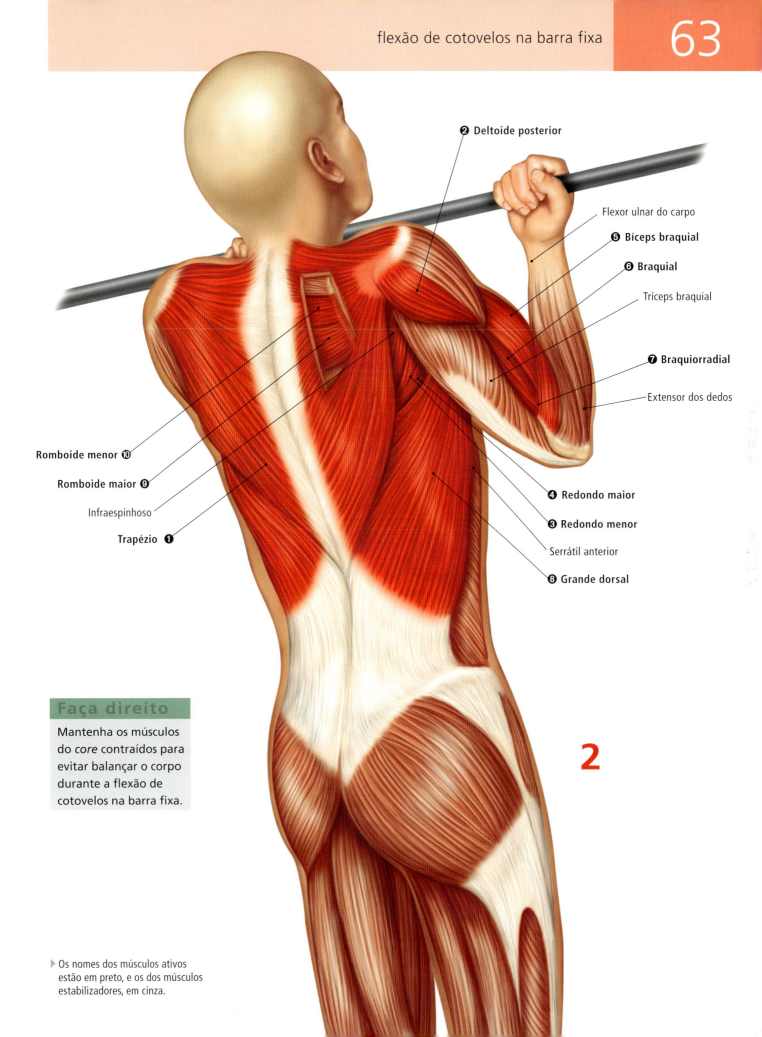

Remada com Barra

Este exercício de peso livre visa os músculos da parte superior das costas, recrutando os músculos da região inferior das costas e dos membros inferiores para propiciarem sustentação. Particularmente, são almejados o grande dorsal, o deltoide posterior, o infraespinhoso e o bíceps, enquanto o eretor da espinha e os músculos isquiotibiais precisam contrair fortemente para apoiar a parte superior do corpo. A remada com barra é apropriada para praticantes intermediários e avançados e é ideal para esportes e profissões que requerem movimentos de abaixar, levantar e puxar cargas. Ele pode ser realizado no ambiente da academia ou de casa, já que necessita apenas de espaço livre no chão e uma barra ou halteres.

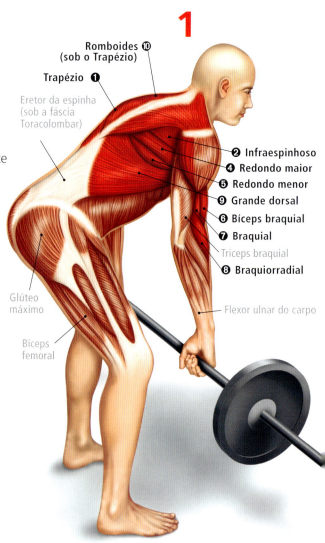

como fazer

Agarre a barra com as mãos ligeiramente mais afastadas que a largura dos ombros, com as palmas das mãos voltadas para o corpo. Os pés devem estar afastados na largura dos ombros e os joelhos levemente flexionados. Na posição inicial, incline-se para frente de modo que a barra fique logo abaixo dos joelhos, com as costas alinhadas. Puxe a barra para cima em direção às costelas, enquanto mantém o tronco fixo e os cotovelos próximos às laterais do corpo. Abaixe novamente, em um movimento suave e controlado.

variações

FÁCIL
Utilize dois halteres a agarre os pesos com as palmas das mãos voltadas uma para a outra. Isto torna o exercício mais fácil na empunhadura e permite o movimento da carga, movimente sem que os joelhos fiquem no caminho. Puxe os halteres para cima, em direção às costelas, mantendo os cotovelos próximos às laterais do corpo. Abaixe novamente, em um movimento suave e controlado.

DIFÍCIL
Realize a remada com as mãos afastadas na largura dos ombros e as palmas das mãos voltadas para fora do corpo para visar o grande dorsal e proporcionar um desafio adicional ao bíceps. Puxe a barra para cima, em direção às costelas, mantendo os cotovelos próximos às laterais do corpo. Abaixe lentamente de novo, até que os braços estejam estendidos completamente.

músculos ativos

❶ Trapézio
❷ Infraespinhoso
❸ Deltoide posterior
❹ Redondo maior
❺ Redondo menor
❻ Bíceps braquial
❼ Braquial
❽ Braquiorradial
❾ Grande dorsal
❿ Romboides (sob o Trapézio)

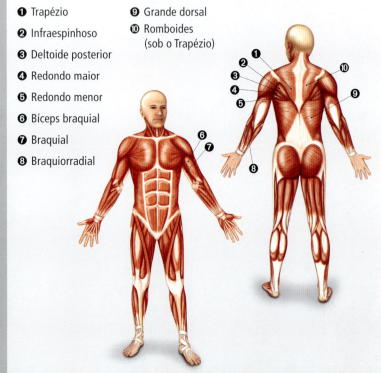

Atenção

Incline-se para frente, na região da cintura, tanto quanto sua flexibilidade permitir. Não arredonde as costas durante este exercício.

remada com barra 65

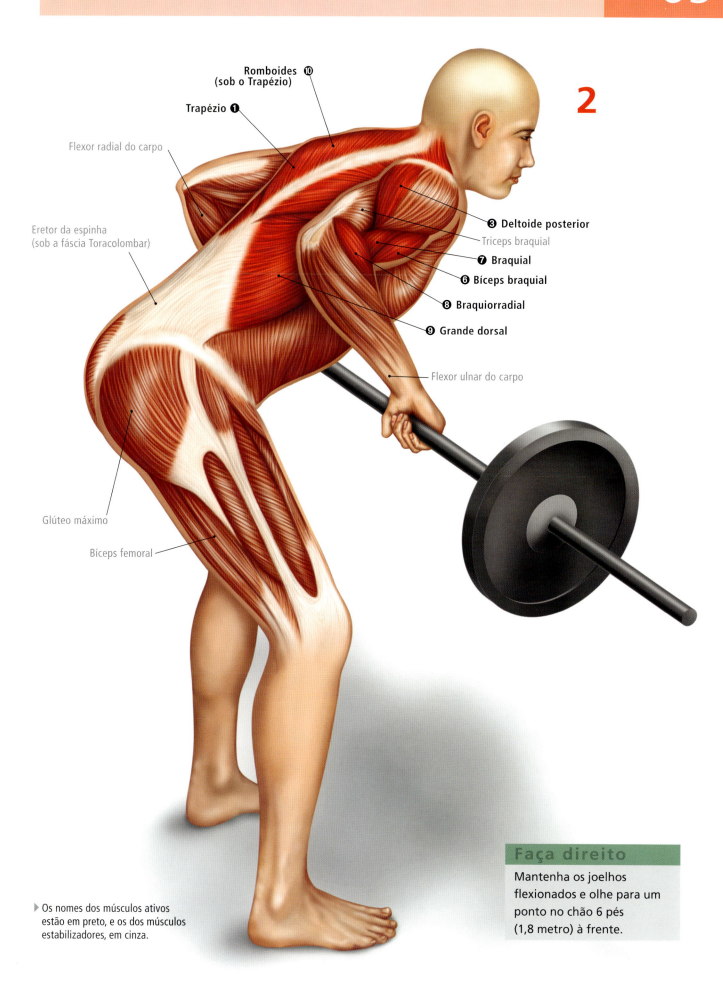

Faça direito

Mantenha os joelhos flexionados e olhe para um ponto no chão 6 pés (1,8 metro) à frente.

▶ Os nomes dos músculos ativos estão em preto, e os dos músculos estabilizadores, em cinza.

66 exercícios para as costas

Remada Sentada

1

Este exercício de fortalecimento é realizado em um ambiente de academia. Ele é altamente eficaz em proporcionar um treinamento para todos os músculos das costas. Os músculos que controlam a escápula estão dando atenção adicional, com o grande dorsal, o deltoide posterior e o bíceps arcando com o ônus da carga. Os músculos dos membros inferiores, os glúteos e os da parte inferior das costas também são exigidos para oferecer uma base de suporte estável, mantendo a postura sentada. Utilize a remada sentada para acrescentar algum equilíbrio postural de volta a uma rotina de treinamento, pois os músculos que retraem e abaixam a escápula são constantemente fracos e subutilizados. Este exercício requer uma máquina de remada sentada apropriada ou um cabo fixado à polia baixa. Ele pode ser realizado por praticantes iniciantes e avançados.

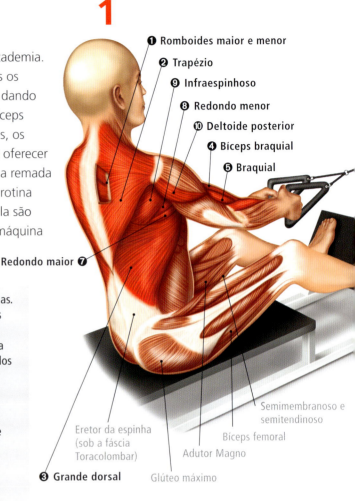

❶ Romboides maior e menor
❷ Trapézio
❾ Infraespinhoso
❽ Redondo menor
❿ Deltoide posterior
❹ Bíceps braquial
❺ Braquial
Redondo maior ❼
Eretor da espinha (sob a fáscia Toracolombar)
❸ Grande dorsal
Glúteo máximo
Adutor Magno
Bíceps femoral
Semimembranoso e semitendinoso

como fazer

A maioria das máquinas possui uma alça na qual as mãos ficam próximas. Agarre com as palmas das mãos voltadas uma para a outra. Coloque os pés no suporte e flexione os joelhos por volta de 30°. Inicie com os cotovelos estendidos totalmente e, então aproxime as escápulas uma da outra e puxe a barra em direção às costelas, de modo que os cotovelos passem rentes às partes laterais do corpo. Permita que a carga volte lentamente para a posição inicial.

variações

FÁCIL
Utilize uma máquina que possui um apoio para o tórax, que permita que o exercício seja realizado sem colocar nenhuma demanda na parte inferior das costas ou membros inferiores. No entanto, progrida para a versão padrão da remada sentada quando esta variação fácil estiver dominada.

DIFÍCIL
Utilize uma barra longa com as mãos um pouco mais afastas que a largura dos ombros, as palmas das mãos voltadas para baixo. Isso reduz a carga no grande dorsal e visa o deltoide posterior e os músculos romboides. Aproxime as escápulas uma da outra e puxe a barra em direção ao tórax, mantendo os cotovelos no nível da barra.

músculos ativos

❶ Romboides maior e menor
❷ Trapézio
❸ Grande dorsal
❹ Bíceps braquial
❺ Braquial
❻ Braquiorradial
❼ Redondo maior
❽ Redondo menor
❾ Infraespinhoso
❿ Deltoide posterior

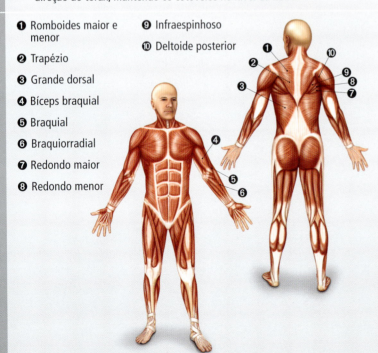

Atenção

Inclinar para frente ou para trás durante o movimento provoca um estresse desnecessário para a parte inferior das costas.

remada sentada 67

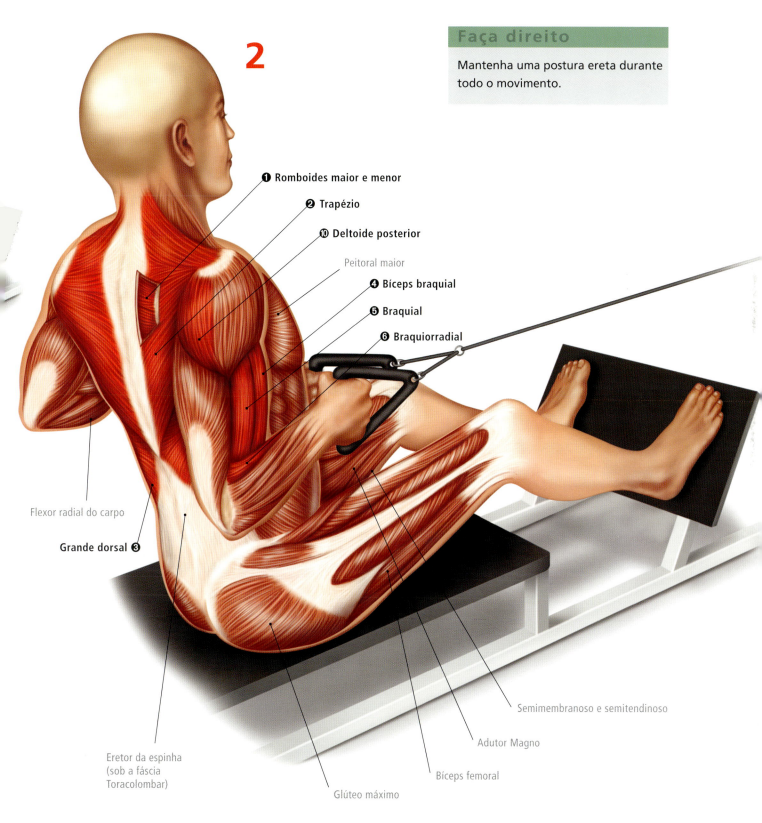

Faça direito
Mantenha uma postura ereta durante todo o movimento.

▶ Os nomes dos músculos ativos estão em preto, e os dos músculos estabilizadores, em cinza.

Crucifixo Invertido (*Reverse Fly*)

Este exercício simples, porém eficaz, visa os músculos da parte superior das costas e dos ombros. O deltoide posterior faz a maior parte do levantamento pesado, auxiliado pelo infraespinhoso, redondo menor, trapézio e romboides. Recomendado para praticantes iniciantes e avançados, o crucifixo invertido deve ser planejado para o final do treinamento, após exercícios que envolvem movimentos de puxadas, para assegurar que estes músculos tenham trabalhado árduo o suficiente durante a sessão. Este exercício pode ajudar a evitar lesões comuns de ombro, vivenciadas em esportes de raquete, porque fortalece os músculos ao redor do ombro. Dois halteres, um pouco de espaço e um banco rígido ou cadeira para sentar são tudo o que é necessário para realizar o crucifixo invertido.

Atenção

No topo do movimento, os cotovelos devem estar perpendiculares em relação ao tronco para evitar colocar sobrecarga nos músculos do manguito rotador.

como fazer

Sente-se na extremidade da cadeira ou banco e incline-se para frente de modo que o tronco apoie sobre as coxas. Agarre os halteres abaixo das pernas ou próximos dos pés, com as palmas das mãos voltadas uma para a outra. Eleve os braços lateralmente, aproximando as escápulas uma da outra, até que os cotovelos atinjam a altura do ombro. Abaixe lentamente de volta para a posição inicial, sendo cuidadoso para que os halteres não colidam com os tornozelos.

variações

FÁCIL Deite-se em decúbito ventral em um banco para realizar o crucifixo invertido, caso não consiga uma posição sentada confortável. Certifique-se de não arquear as costas durante o levantamento.

DIFÍCIL Realize o exercício de pé, com os pés afastados na largura dos quadris e com os joelhos ligeiramente flexionados. Incline-se com o tronco para frente, mantendo as costas alinhadas. Substitua os halteres por cabos em polias baixas ou, para um desafio ainda maior, realize o exercício unilateralmente.

músculos ativos

❶ Deltoide posterior

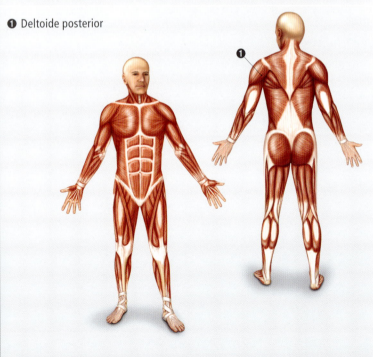

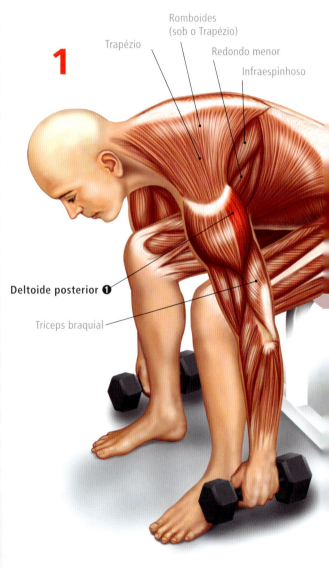

Trapézio
Romboides (sob o Trapézio)
Redondo menor
Infraespinhoso
Deltoide posterior ❶
Tríceps braquial

crucifixo invertido (*reverse fly*) 69

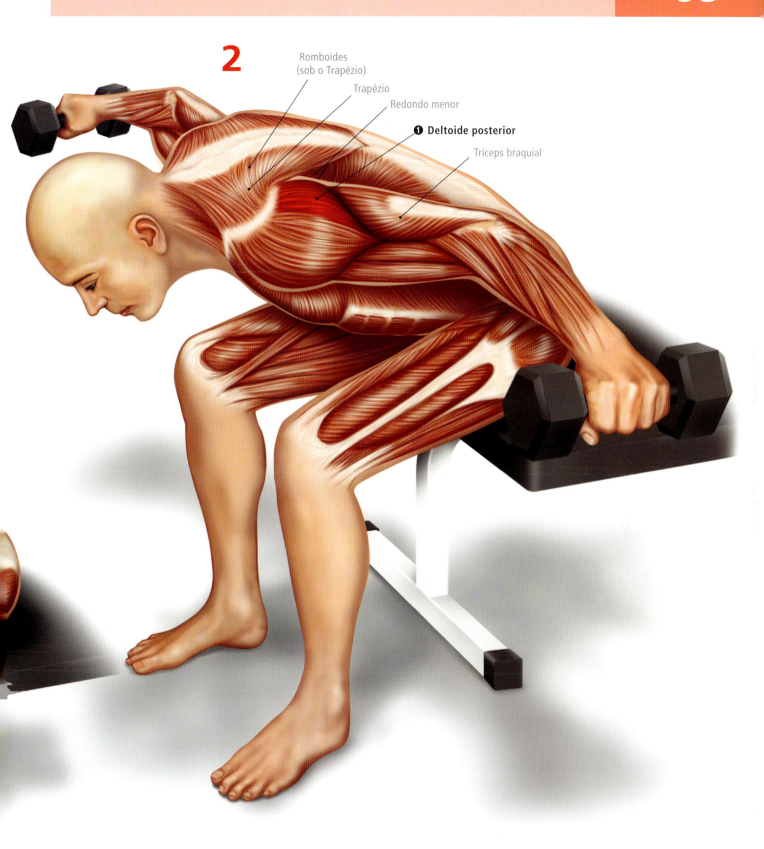

2 — Romboides (sob o Trapézio), Trapézio, Redondo menor, ❶ Deltoide posterior, Tríceps braquial

▶ Os nomes dos músculos ativos estão em preto, e os dos músculos estabilizadores, em cinza.

Faça direito
Mantenha os cotovelos levemente flexionados durante todo o movimento.

70 exercícios para as costas

Remada Unilateral

Este exercício proporciona aos músculos das costas um ótimo treinamento em uma posição apoiada e estável. São almejados os músculos do grande dorsal, os deltoides posteriores e o bíceps, enquanto também são desenvolvidos os músculos ao redor da escápula, os do antebraço e a força de empunhadura. A remada unilateral é realizada em uma posição que sustenta a parte inferior das costas, portanto serve tanto para iniciantes quanto para praticantes avançados. É ideal para qualquer esporte que envolva o agarrar e puxar, como esportes de contato, remo e caiaque, e constitui um exercício poderoso para o aumento de força. Tudo que é necessário é um banco rígido da altura dos joelhos e um haltere.

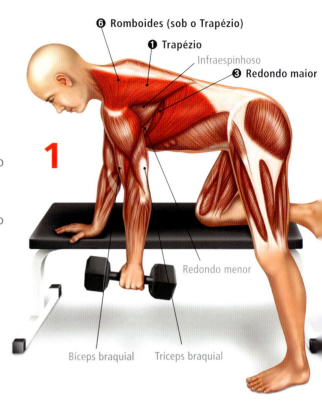

como fazer

Coloque o joelho e a mão de suporte sobre o banco, de modo que o tronco fique na horizontal. Posicione o outro pé no solo, ligeiramente atrás e lateralmente para obter estabilidade. Agarre o haltere com a palma da mão voltada para o banco. Puxe o haltere para cima, em direção ao corpo, até que ele esteja na altura do tronco, com o cotovelo passando rente à lateral do corpo. Abaixe lentamente a carga até que o braço esteja totalmente estendido.

variações

FÁCIL

Deite-se em decúbito ventral sobre o banco ao sentir-se desconfortável ou instável na posição ajoelhada. Certifique-se de que as costas não estejam arqueadas durante o levantamento.

DIFÍCIL

Para um desafio extra, realize o exercício de pé, com os pés afastados, na largura dos ombros e joelhos flexionados. Tente o exercício, utilizando um cabo em polia baixa sem nenhum suporte para a mão oposta.

músculos ativos

❶ Trapézio
❷ Deltoide posterior
❸ Redondo maior
❹ Braquial
❺ Grande dorsal
❻ Romboides (sob o Trapézio)

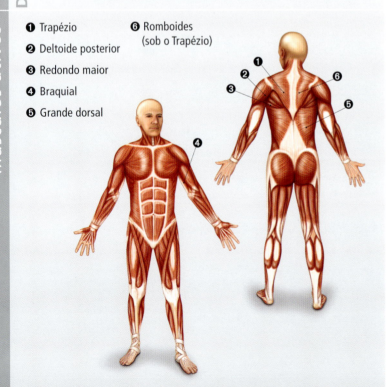

Atenção
Não gire o tronco para suspender o peso.

Faça direito
Mantenha as costas alinhadas durante o levantamento e olhe para um ponto no chão 4 pés (1,2 metro) à frente.

remada unilateral 71

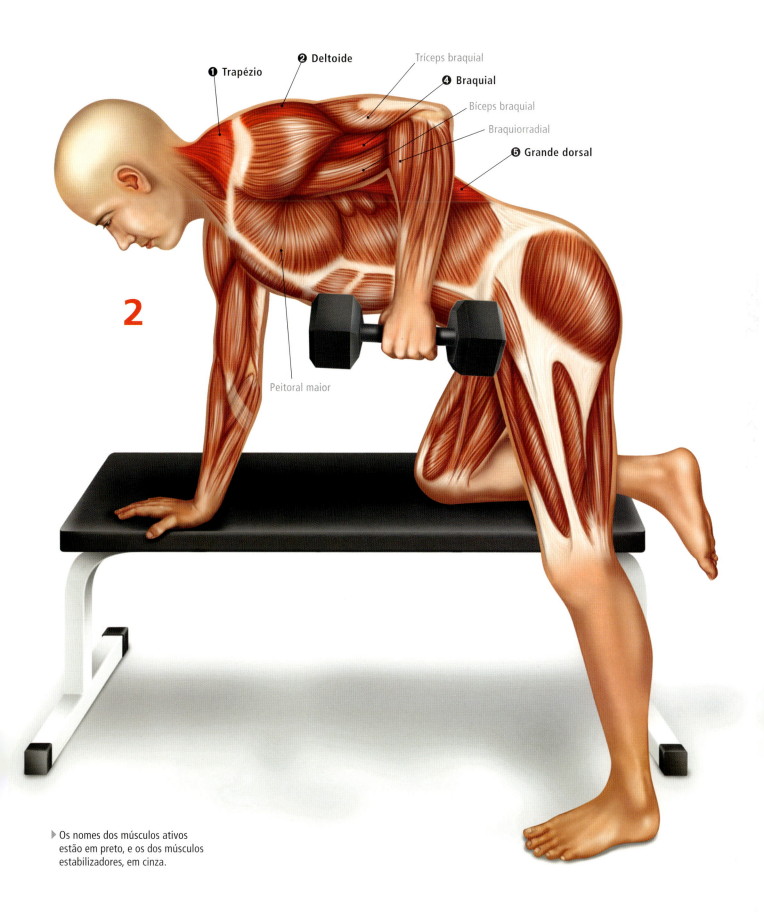

▶ Os nomes dos músculos ativos estão em preto, e os dos músculos estabilizadores, em cinza.

Exercícios para os Membros Superiores e Ombros

O deltoide é o alvo dos exercícios de ombro nesta seção. Seus três conjuntos de fibras geram força, enquanto os músculos do manguito rotador fornecem estabilidade dinâmica e permitem a amplitude de movimento ao redor da articulação do ombro (glenoumeral). Braços e ombros fortes e estáveis aumentam o desempenho em muitos esportes. Os exercícios para os braços abordam os músculos que flexionam o cotovelo – bíceps braquial, braquial e braquiorradial – bem como o tríceps braquial, que estende o cotovelo.

Os músculos do ombro e dos braços estão envolvidos durante exercícios de outros grupos musculares. Para evitar a fadiga e lesões por uso excessivo, permita o repouso e a recuperação adequados entre os treinamentos. O deltoide anterior e os músculos do manguito rotador são particularmente suscetíveis, portanto, é importante atentar ao deltoide posterior.

Rosca Direta	74
Rosca Concentrada	76
Rosca com Cabo (Flexão de Cotovelo com Cabo)	78
Puxador Tríceps (Extensão de Cotovelo com Cabo)	80
Extensão de Cotovelo	82
Extensão de Cotovelo, Curvado	84
Desenvolvimento de Ombros	86
Elevação Frontal	88
Elevação Lateral	90
Remada Vertical	92
Encolhimento de Ombros	94
Flexão de Punho	96

Rosca Direta

Este exercício tem sido um elemento marcante de regimes de treinamento de força por décadas. É um exercício simples que pode ser realizado tanto por praticantes iniciantes quanto para avançados, e possui muitas variações. O rosca direta visa o bíceps braquial, mas também fornece a outros músculos do braço, como o braquial e braquiorradial, um bom treinamento. Os músculos do ombro e do antebraço também devem se contrair para sustentar o movimento que este exercício demanda. Por exigir apenas algum espaço no chão e uma barra livre ou um par de halteres, este exercício pode ser realizado praticamente em qualquer lugar.

como fazer

Posicione-se com os pés afastados na largura dos ombros e joelhos ligeiramente flexionados. Agarre a barra com as mãos afastadas na largura dos ombros, com as palmas das mãos voltadas para fora do corpo. Deixe as mãos mais próximas ou mais afastadas se estas posições forem mais confortáveis. Erga a barra até que os antebraços estejam na vertical, mantendo os cotovelos fixos lateralmente. Abaixe a barra até que os cotovelos estejam completamente estendidos.

variações

FÁCIL Fique com um pé à frente e outro atrás para estabilidade extra, caso sinta-se instável ou ao levantar cargas pesadas. Esta posição ajuda a manter o tronco fixo e fornece um suporte adicional para a parte inferior das costas.

DIFÍCIL Sentado ou de pé com um haltere em cada mão. Inicie com as palmas das mãos voltadas uma para a outra e, então, em cada flexão, rode os punhos de forma que a palma da mão se volte para o ombro no final do movimento.

músculos ativos

❶ Bíceps braquial
❷ Braquial
❸ Braquiorradial

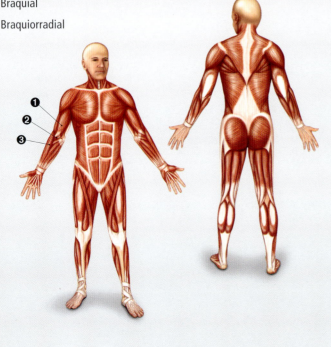

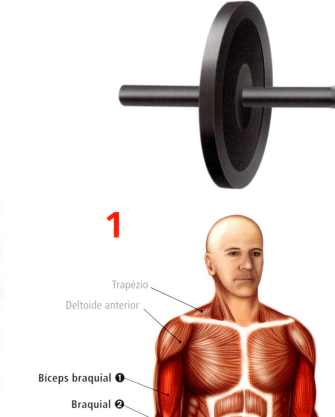

1

Trapézio
Deltoide anterior
Bíceps braquial ❶
Braquial ❷
Braquiorradial ❸
Flexor radial do carpo
Flexor ulnar do carpo

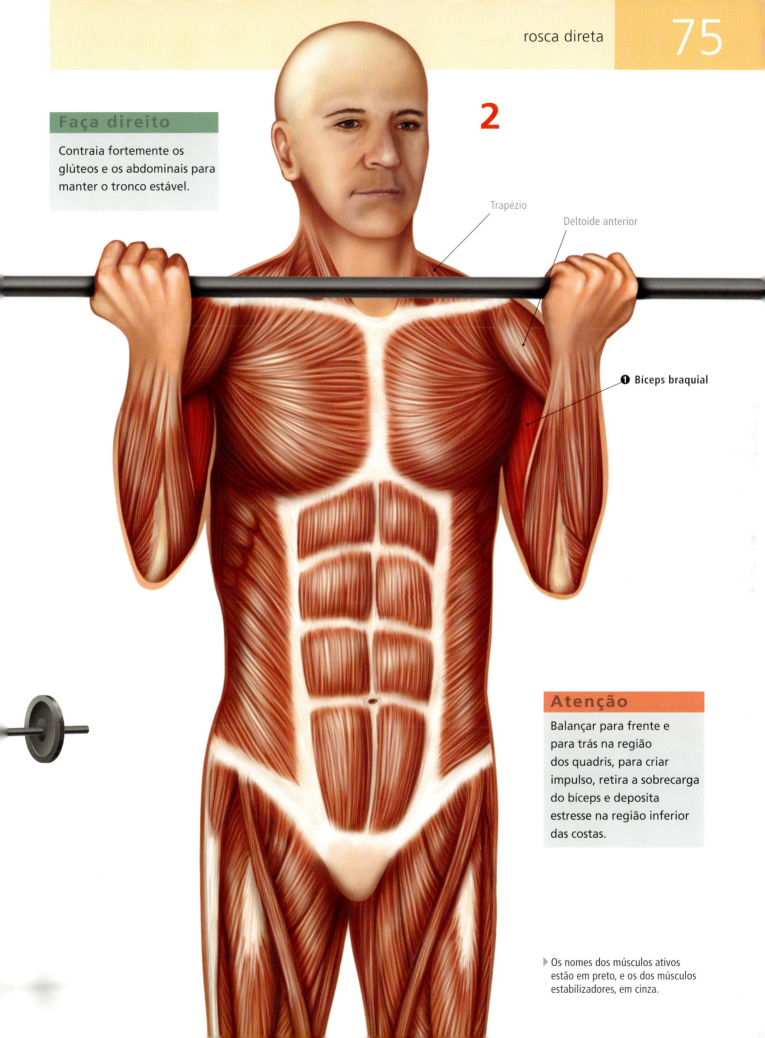

Rosca Concentrada

Este exercício simples visa os músculos do braço. O braquial é o mais ativo desses músculos, uma vez que a flexão do ombro causa desvantagem para a cabeça curta do bíceps braquial. Este foco faz da rosca concentrada um bom complemento ou, pelo menos, uma boa alternativa ocasional aos exercícios mais tradicionais para bíceps. Inclua-o em um programa de exercício para assegurar um treinamento máximo para o braço. A posição sentada estável reduz o estresse na parte inferior das costas, limita o uso do impulso e permite que os músculos do braço sejam isolados.

Atenção
Evite torcer, rodar ou levantar o tronco para erguer a carga. Se qualquer uma dessas ações é necessária, a carga está muito pesada.

Faça direito
Posicione a outra mão sobre a outra coxa para apoiar a parte superior do corpo.

como fazer

Sente-se em um banco com o haltere entre os pés. Incline-se levemente para frente, de modo que o cotovelo fique apoiado na parte medial da coxa. Agarre o haltere com a palma da mão voltada para fora do corpo e, então, flexione o cotovelo até que a palma da mão esteja voltada para o ombro. Estabilize o braço com a coxa, de forma que o cotovelo se mantenha fixo durante todo o movimento. Abaixe a carga até que o cotovelo fique totalmente estendido.

variações — DIFÍCIL / FÁCIL

Coloque o cotovelo sobre a coxa em vez de apoiá-lo sobre a parte medial da coxa, para permitir uma pequena vantagem mecânica e tornar o exercício mais fácil no início do levantamento da carga.

Realize um "rosca martelo" rodando o punho durante a flexão, de forma que, no topo do movimento, o polegar esteja voltado para o teto com a palma da mão voltada para dentro. Esta variação almeja o outro músculo flexor do cotovelo, o braquiorradial.

músculos ativos

❶ Braquial
❷ Bíceps braquial
❸ Braquiorradial

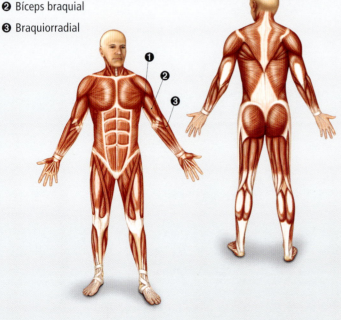

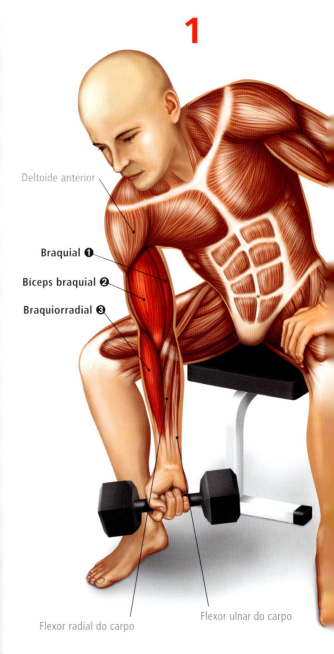

Deltoide anterior
Braquial ❶
Bíceps braquial ❷
Braquiorradial ❸
Flexor radial do carpo
Flexor ulnar do carpo

rosca concentrada 77

2

Deltoide anterior

Bíceps braquial ❷

Braquiorradial ❸

▶ Os nomes dos músculos ativos estão em preto, e os dos músculos estabilizadores, em cinza.

78 exercícios para os membros superiores e ombros

Rosca com Cabo
(Flexão de Cotovelo com Cabo)

Este exercício para bíceps é normalmente realizado no final de um treinamento utilizando cargas mais baixas. O braquial e a cabeça longa do bíceps braquial são os alvos, embora, como qualquer exercício na posição em pé, o abdômen e os músculos da parte inferior das costas estão envolvidos para estabilizar o tronco, enquanto os músculos do manguito rotador precisam contrair para apoiar e estabilizar o ombro. O exercício rosca com cabo é um bom exercício para esportes de arremesso, como *baseball*, críquete e polo aquático, porque os bíceps são fortalecidos em uma posição que contribui para a estabilidade do ombro em arremessos sobre a cabeça. Este exercício requer dois cabos com polias altas, o que o faz mais apropriado para o ambiente de academia.

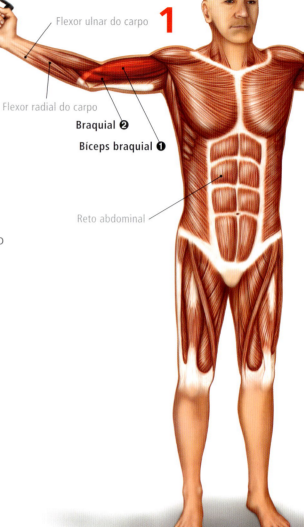

Flexor ulnar do carpo
Flexor radial do carpo
Braquial ❷
Bíceps braquial ❶
Reto abdominal

como fazer

Utilizando dois cabos com polias altas, agarre-os de forma que os cabos estejam afastados o suficiente para se posicionar no centro com os cotovelos estendidos. Palmas das mãos voltadas para o teto. Puxe as empunhaduras em direção aos ombros, mantendo os braços e corpo fixos. Retorne lentamente para a posição inicial até que os cotovelos estejam totalmente estendidos.

variações

FÁCIL
Agarre as empunhaduras dos cabos e, então, dê um passo para trás, em vez de posicionar-se alinhado lateralmente, com os braços voltados para frente em 45°. Isto retira a sobrecarga dos ombros. Puxe as empunhaduras em direção aos ombros, mantendo os braços e corpo fixos.

DIFÍCIL
Utilize uma corda fixada ao cabo de cada polia para um desafio extra à empunhadura. Agarre a corda com as palmas das mãos voltados para fora do corpo e, então, rode os punhos durante o exercício até que as palmas fiquem voltadas para os ombros.

músculos ativos

❶ Bíceps braquial
❷ Braquial

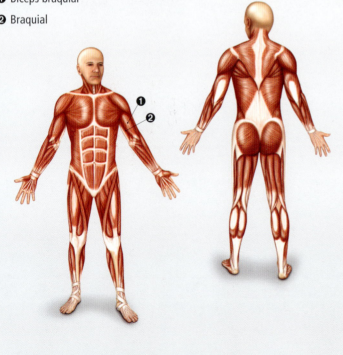

Faça direito
Certifique-se de que o tronco e os braços estejam fixados no lugar durante todo o exercício.

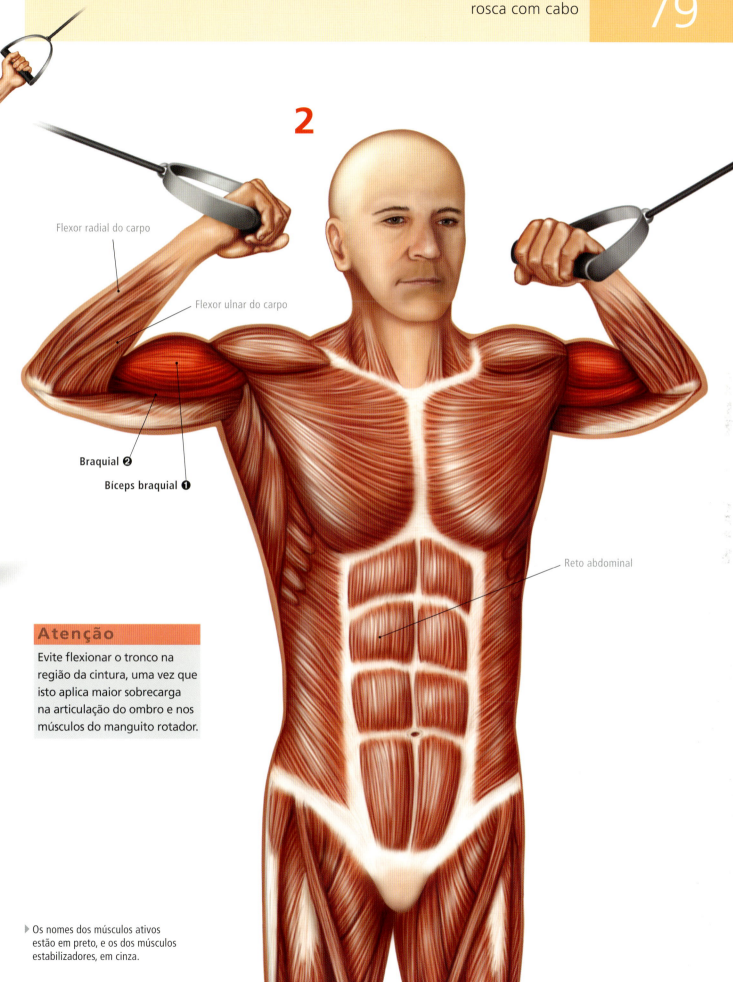

Puxador Tríceps
(Extensão de Cotovelo com Cabo)

Este exercício de fortalecimento é comumente visto em academias e centros de condicionamento físico, realizado por pessoas que buscam aumentar o tamanho e força de seus músculos do tríceps. O versátil puxador tríceps almeja o tríceps braquial e pode ser realizado com muitas variações, utilizando diferentes empunhaduras e acessórios fixados ao cabo. Os músculos abdominais recebem um ótimo treinamento secundário com este exercício, especialmente à medida que a força aumenta e os praticantes começam a levantar cargas mais altas. Sendo apropriado para iniciantes e praticantes mais avançados, o puxador tríceps é mais bem realizado em academia.

como fazer

Diante de um cabo com polia alta, agarre o acessório fixado ao cabo com as mãos ligeiramente mais próximas que a largura dos ombros e com as palmas das mãos voltadas para o solo. Estenda os cotovelos para baixo, empurrando a barra em direção ao chão, enquanto mantém os cotovelos lateralmente e os músculos abdominais contraídos. Flexione os cotovelos e retorne a barra até que os antebraços fiquem próximos dos braços.

variações

FÁCIL Caso se sinta instável ou esteja levantando cargas elevadas, posicione-se com um pé à frente e outro para trás, para obter estabilidade adicional. Isto também mantém o tronco fixo. Poderá ser mais confortável utilizar uma barra inclinada para baixo em 45° para ambos os lados, uma vez que isso retira a pressão dos punhos.

DIFÍCIL Utilize uma corda fixada ao cabo e agarre a corda com os polegares voltados para o teto. No topo do movimento, mantenha as mãos próximas, rodando os punhos até que as palmas das mãos estejam voltadas para o chão, no final do movimento. Isto enfoca mais o tríceps e oferece um grande desafio à empunhadura.

músculos ativos

❶ Tríceps braquial

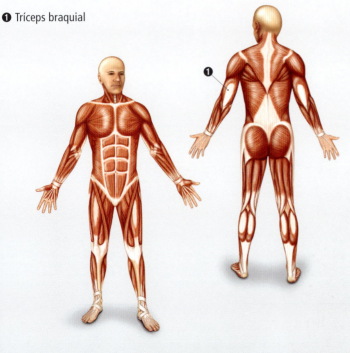

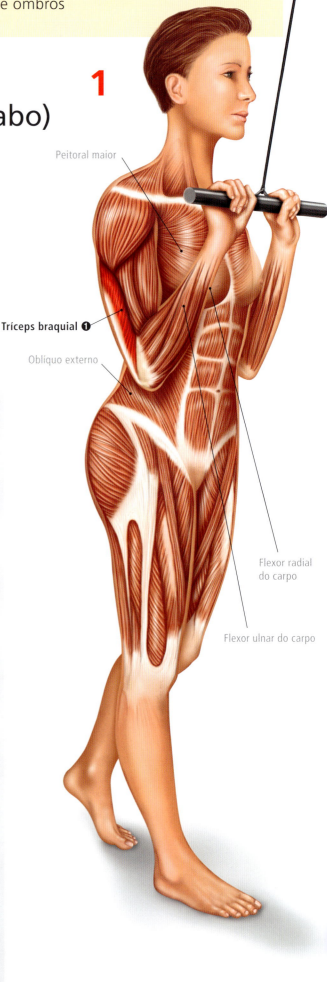

puxador tríceps 81

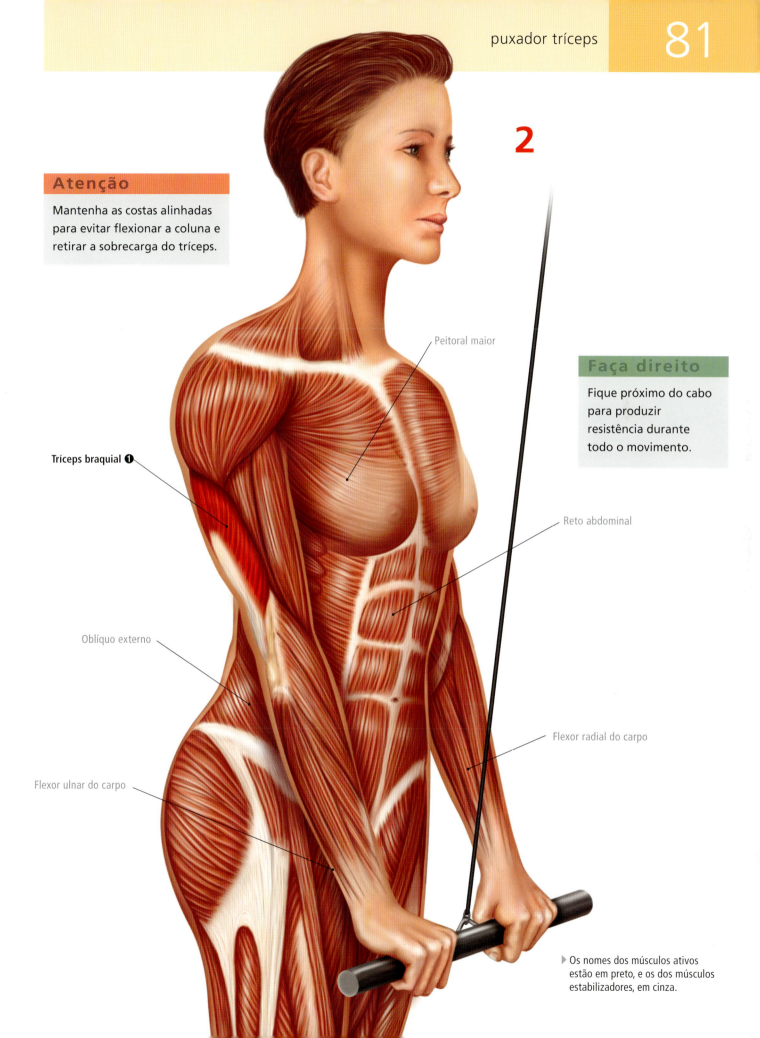

2

Atenção
Mantenha as costas alinhadas para evitar flexionar a coluna e retirar a sobrecarga do tríceps.

Faça direito
Fique próximo do cabo para produzir resistência durante todo o movimento.

Tríceps braquial ❶

Peitoral maior

Reto abdominal

Oblíquo externo

Flexor radial do carpo

Flexor ulnar do carpo

▶ Os nomes dos músculos ativos estão em preto, e os dos músculos estabilizadores, em cinza.

Extensão de Cotovelo

Este exercício de fortalecimento utiliza um único haltere para almejar de maneira eficaz o músculo tríceps braquial. O flexor do punho e o deltoide ajudam a estabilizar o braço, enquanto o tríceps trabalha a partir de sua posição mais estendida, alongando no final do movimento. Qualquer praticante de esportes que exigem força em posições acima da cabeça, como movimentos de saque ou cortada no voleibol ou tênis, ou esportes de arremesso, deve preferir o exercício de extensão de tríceps a exercícios de tríceps que envolvem extensão de cotovelo para baixo. Este exercício pode ser realizado em casa ou em academia, embora exija um auxiliar atento para ajudar a controlar a carga, especialmente quando o levantamento estiver sobre a cabeça.

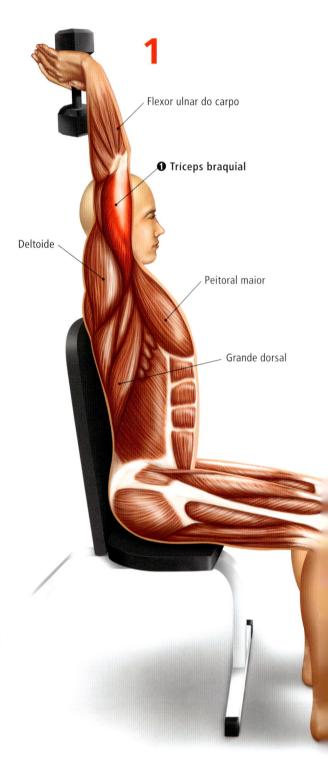

como fazer

Segure um haltere com as duas palmas das mãos voltadas contra a anilha de um dos lados e com os polegares ao redor da empunhadura. Sentando em uma cadeira ou um banco com suporte para as costas, comece com o haltere sobre a cabeça, com os cotovelos totalmente estendidos. Mantenha os cotovelos fixos e baixe a carga para trás da cabeça flexionando os cotovelos. Levante o haltere sobre a cabeça estendendo os cotovelos.

variações

FÁCIL

Deite-se de costas em um banco e agarre um haltere em cada mão, com as palmas das mãos voltadas uma para a outra. Comece com os cotovelos totalmente estendidos em direção ao teto e abaixe os halteres ao lado da cabeça, mantendo os cotovelos fixos. Eleve os halteres em direção ao teto até que os cotovelos estejam completamente estendidos novamente.

DIFÍCIL

Realize a extensão de cotovelo com um braço, segurando o haltere com uma mão, com a palma voltada para frente. Em uma posição sentada, comece com o haltere sobre a cabeça, com o cotovelo totalmente estendido. Mantenha o cotovelo fixo e, flexionando-o, abaixe a carga para trás da cabeça. Eleve o haltere sobre a cabeça estendendo completamente o cotovelo.

músculos ativos

❶ Tríceps braquial

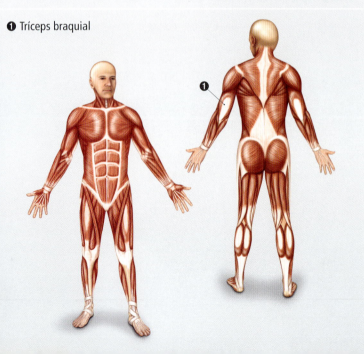

Atenção
Reduza a carga lentamente para evitar atingir a parte posterior do pescoço.

extensão de cotovelo 83

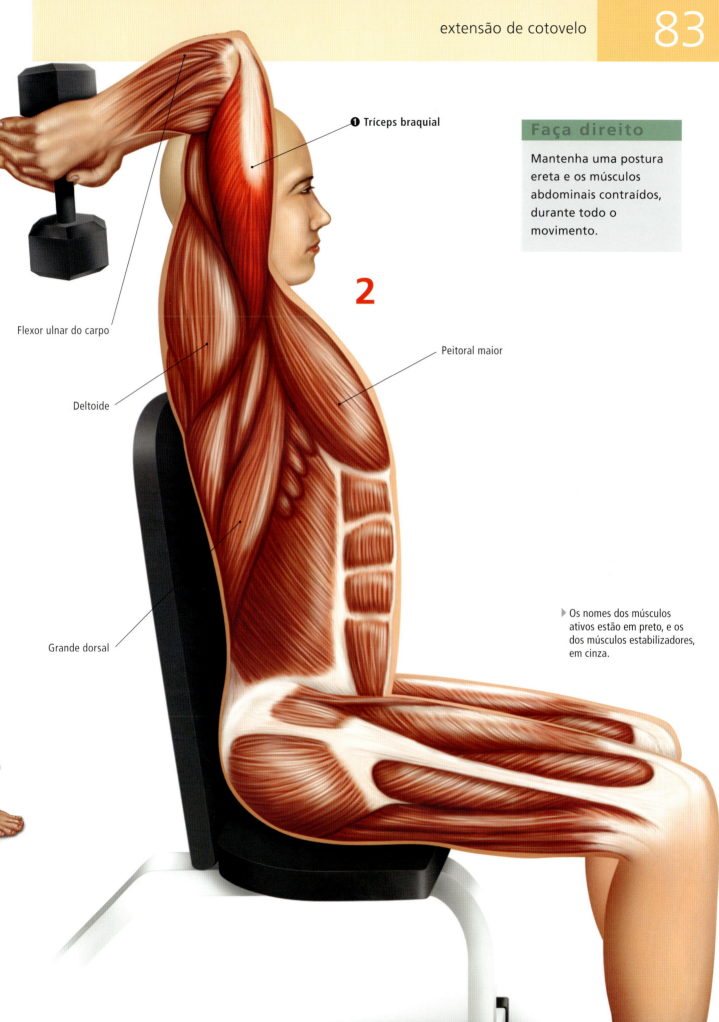

❶ Tríceps braquial

Flexor ulnar do carpo

Deltoide

Peitoral maior

Grande dorsal

2

Faça direito
Mantenha uma postura ereta e os músculos abdominais contraídos, durante todo o movimento.

▶ Os nomes dos músculos ativos estão em preto, e os dos músculos estabilizadores, em cinza.

exercícios para os membros superiores e ombros

Extensão de Cotovelo, Curvado

Este exercício simples é realizado utilizando-se um banco e um haltere. Ele visa o tríceps braquial, da parte posterior do braço. Diferentemente dos outros exercícios para tríceps, a extensão de cotovelo, curvado, limita a amplitude de movimento efetiva, fazendo dele um exercício apropriado para iniciantes e um bom complemento ocasional para os exercícios tradicionais de tríceps que praticantes mais avançados realizam. O banco suporta o tronco, o que significa que há pequena ou nenhuma sobrecarga na parte inferior das costas. O tríceps braquial é mais exigido quando está em uma posição mais encurtada, portanto, os praticantes realmente sentirão o músculo se contraindo no final do movimento.

Atenção
Não rotacione o tronco para levantar a carga.

como fazer

Coloque o joelho e a mão do braço de suporte em um banco, de modo que o tronco fique na posição horizontal. Posicione o outro pé no chão, ligeiramente atrás e para o lado para oferecer estabilidade. Agarre o haltere com a palma da mão voltada para o banco, com o cotovelo posicionado lateralmente e o braço flexionado a 90°. Mantendo o cotovelo fixado lateralmente, estenda o braço até que fique alinhado com as costas. Abaixe o haltere e retorne para a posição inicial.

variações

FÁCIL — Se estiver tendo dificuldades, abaixe o cotovelo de modo que ele esteja ligeiramente mais baixo que o corpo. Isto reduz a amplitude de deslocamento com a qual o tríceps precisa trabalhar para completar o movimento. No entanto, isto também reduz a eficácia do exercício.

DIFÍCIL — Agarre o haltere com a palma da mão voltada para frente, com o cotovelo posicionado lateralmente e flexionado a 90°. Essa empunhadura recruta mais o músculo tríceps braquial. Mantendo o cotovelo fixo lateralmente, estenda-o até que o braço fique alinhado com as costas. Abaixe o haltere e retorne para posição inicial.

músculos ativos

❶ Tríceps braquial

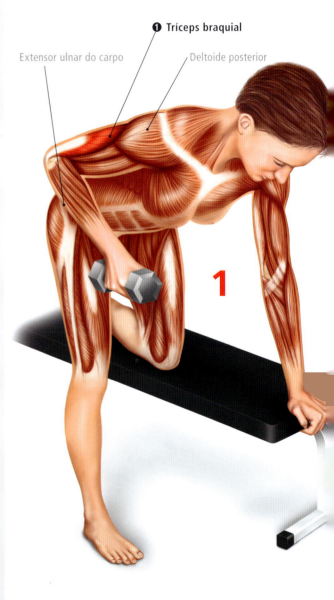

❶ Tríceps braquial
Extensor ulnar do carpo
Deltoide posterior

extensão de cotovelo, curvado 85

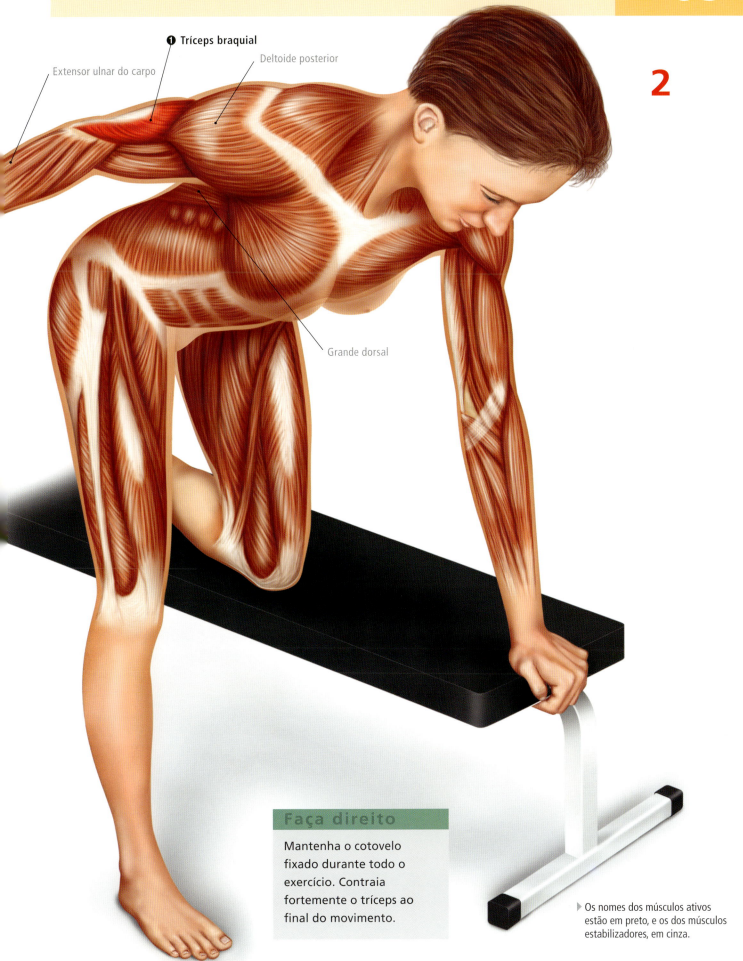

Faça direito
Mantenha o cotovelo fixado durante todo o exercício. Contraia fortemente o tríceps ao final do movimento.

▶ Os nomes dos músculos ativos estão em preto, e os dos músculos estabilizadores, em cinza.

exercícios para os membros superiores e ombros

Desenvolvimento de Ombros

Este exercício, e suas múltiplas variações, é um marco de qualquer programa de treinamento para praticantes intermediários e avançados. O trabalho com os ombros desenvolve os deltoides anterior e lateral, e fornece um bom treinamento para o tríceps braquial. Levantar halteres acima da cabeça exige uma grande estabilidade do ombro e a contribuição do *core*, recrutando músculos adicionais para a tarefa, como o supraespinhoso, o trapézio, o serrátil anterior, os músculos abdominais e os músculos da parte inferior das costas. Este exercício é ideal para esportes ou profissões que envolvam os movimentos de elevar ou empurrar cargas sobre a cabeça, como rúgbi, artes marciais ou dança. Pode ser realizado em academia ou em casa, mas deve ser realizado com o acompanhamento de um colega de treinamento para atuar como auxiliar.

Atenção

Sempre conte com um auxílio para levantamentos sobre a cabeça, para evitar lesões com a queda de pesos.

como fazer

Sente-se em um banco ou cadeira com suporte para as costas, e com pés afastados. Agarre cada haltere, segurando-os na altura das orelhas com as palmas das mãos voltadas para frente e os antebraços perpendiculares ao solo. Eleve os halteres para cima até que os braços estejam totalmente estendidos acima da cabeça, permitindo que os halteres se aproximem no topo. Abaixe lentamente os pesos até que atinjam a posição inicial. Quando elevar altas cargas, utilize um auxiliar ou suporte para ajudar a manter a barra na posição inicial correta.

variações

FÁCIL
Realize um "desenvolvimento militar" sentado em um banco ou cadeira com suporte para as costas, pés afastados. Agarre uma barra livre com as mãos ligeiramente mais afastadas que a largura dos ombros e palmas das mãos voltadas para frente. Eleve a barra até que os cotovelos estejam totalmente estendidos acima da cabeça. Abaixe lentamente a barra até a posição inicial.

DIFÍCIL
Realize um "desenvolvimento Arnold" agarrando os dois halteres e segurando-os na frente dos ombros, com as palmas das mãos voltadas para o corpo e cotovelos abaixo dos punhos – como a posição mais alta de um exercício de barra. Eleve os halteres e leve os cotovelos para os lados até que os braços estejam totalmente estendidos acima da cabeça, realizando uma rotação, de forma que as mãos fiquem voltadas para frente. Abaixe lentamente as cargas, rodando-as novamente até que atinjam a posição inicial.

músculos ativos

❶ Deltoide anterior e lateral

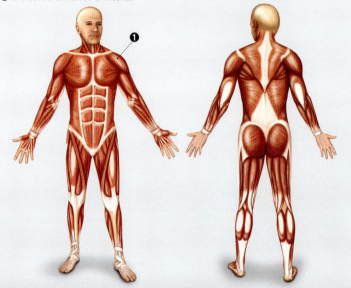

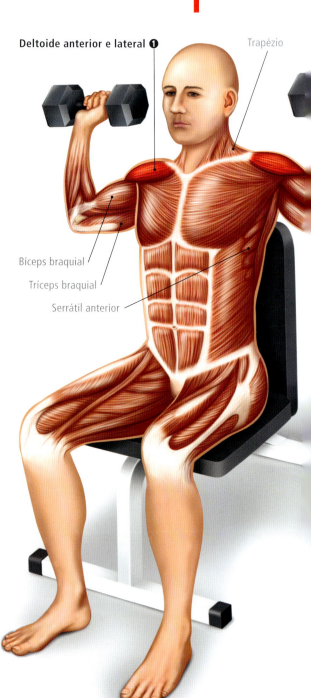

1

Deltoide anterior e lateral ❶ — Trapézio
Bíceps braquial
Tríceps braquial
Serrátil anterior

desenvolvimento de ombros 87

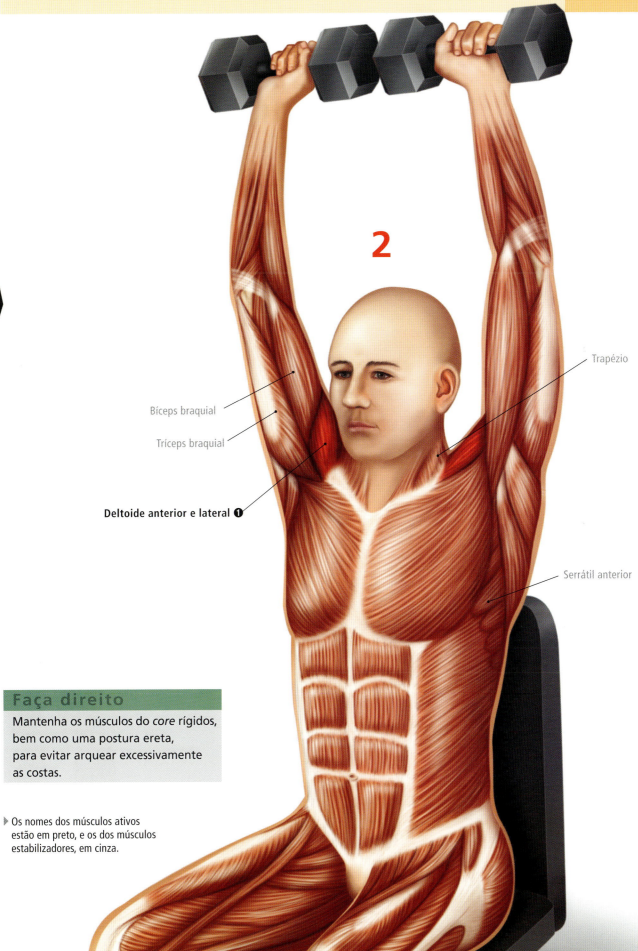

Trapézio

Bíceps braquial

Tríceps braquial

Deltoide anterior e lateral ❶

Serrátil anterior

Faça direito
Mantenha os músculos do *core* rígidos, bem como uma postura ereta, para evitar arquear excessivamente as costas.

▶ Os nomes dos músculos ativos estão em preto, e os dos músculos estabilizadores, em cinza.

88 exercícios para os membros superiores e ombros

Elevação Frontal

Este exercício é ótimo para aumentar a força da parte anterior dos ombros. Ele almeja os músculos do deltoide anterior, enquanto os romboides e trapézio estabilizam os ombros. Os músculos abdominais e da parte inferior das costas também precisam ser muito exigidos para manter a postura ereta, portanto, recebem um bom treinamento secundário. A elevação frontal é recomendada para esportes que exijam movimentos de levantar e arrastar, bem como em esportes de combate como as artes marciais e boxe, que dependem da força e resistência do deltoide anterior para proteger e atacar. Este exercício também pode ser realizado para reabilitação do ombro, uma vez que o mesmo ocorre em uma amplitude de movimento segura e controlada. Apropriada para praticantes iniciantes e avançados, a elevação frontal pode ser realizada em casa ou academia.

Atenção
Não eleve a carga mais alto que a altura dos ombros.

como fazer

Posicione-se de pé, com os pés afastados na largura dos ombros e os joelhos ligeiramente flexionados. Agarre a barra livre com as mãos afastadas na largura dos ombros, as palmas das mãos voltadas para o corpo, e os cotovelos alinhados ou ligeiramente flexionados. Eleve a barra livre para frente e para cima até que a carga atinja o nível dos ombros. Abaixe lentamente a carga até a posição inicial.

variações

FÁCIL
Agarre um haltere em cada mão, com as palmas das mãos voltadas para o corpo com os cotovelos alinhados ou ligeiramente flexionados. Eleve um haltere para frente e para cima até que a carga esteja no nível do ombro. Abaixe lentamente a carga até a posição inicial e, então, repita para o outro lado.

DIFÍCIL
Realize o exercício com uma mão de cada vez, utilizando um cabo fixado a uma polia baixa. Posicione-se com os pés afastados na largura dos ombros e os joelhos ligeiramente flexionados, voltados para fora da polia. Contraia firmemente os músculos abdominais e eleve a alça do cabo para frente e para cima, até que o peso esteja nivelado com os ombros. Esta variação coloca grande ênfase no início do levantamento.

músculos ativos
❶ Deltoide anterior
❷ Deltoide lateral
❸ Trapézio

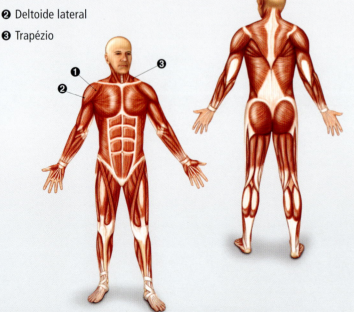

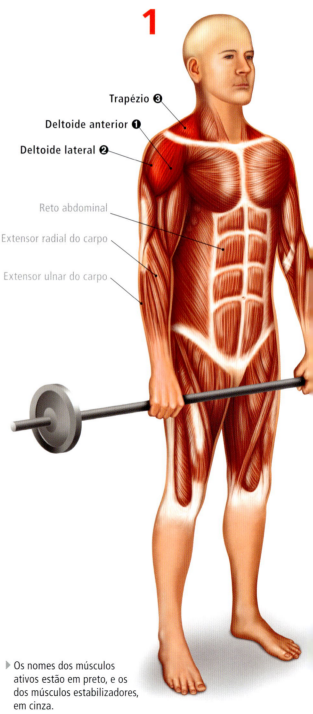

▶ Os nomes dos músculos ativos estão em preto, e os dos músculos estabilizadores, em cinza.

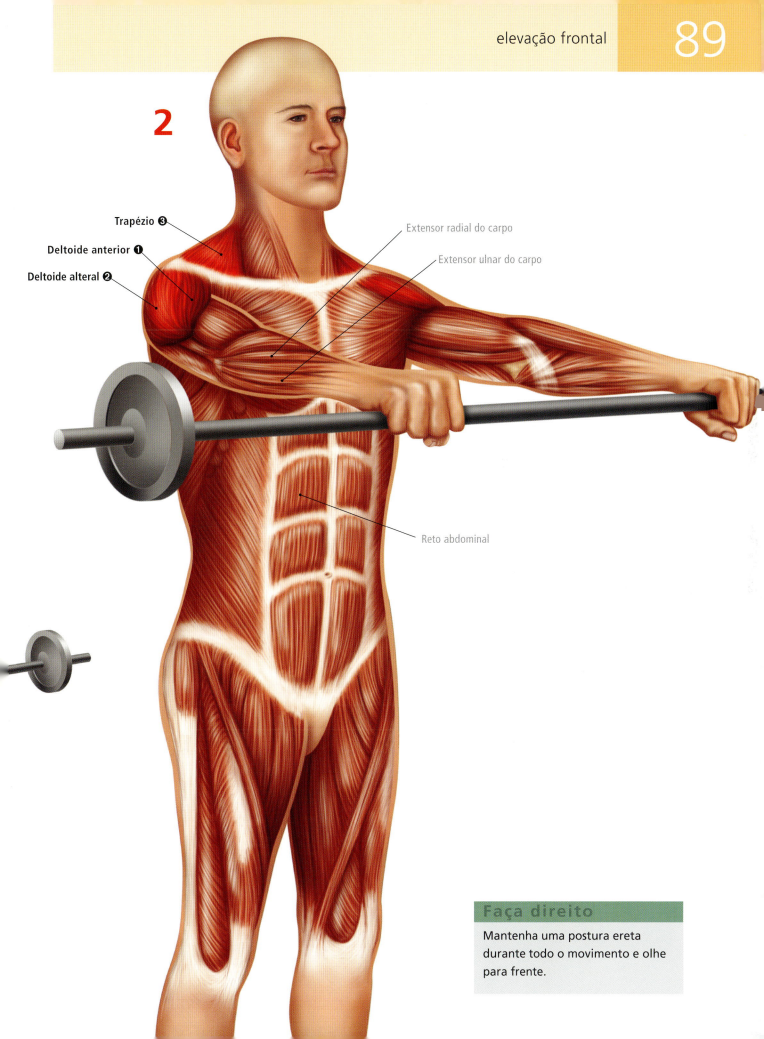

exercícios para os membros superiores e ombros

Elevação Lateral

Este exercício de fortalecimento é designado especificamente para almejar a porção lateral dos músculos do ombro. Os músculos do trapézio e extensores do punho também recebem grande sobrecarga, enquanto o manguito rotador é ativado para estabilizar o ombro. Este exercício é apropriado tanto para praticantes iniciantes quanto para avançados. O deltoide lateral é um músculo importante para ações em muitos esportes e aumentar seu tamanho amplia os ombros, que como efeito estreita a aparência da cintura. Isto faz da elevação lateral uma inclusão perfeita em programas para praticantes que desejam melhorar a forma de seus corpos. Dado que só exige um par de halteres, a elevação lateral pode ser realizada em casa ou academia.

como fazer

Posicione-se de pé com os pés afastados na largura dos ombros, joelhos ligeiramente flexionados e, ligeiramente, inclinado para frente, enquanto mantém as costas alinhadas. Segure um par de halteres na frente das coxas, com as palmas das mãos voltadas uma para a outra. Eleve os braços lateralmente até que os cotovelos estejam na altura dos ombros. Certifique-se de que os cotovelos se mantenham ligeiramente mais altos que os punhos durante todo o movimento. Abaixe lentamente a carga para a posição inicial.

variações

FÁCIL
Caso se sinta desconfortável, treine um lado de cada vez, levantando um haltere em cada mão. Agarre um haltere em uma mão e segure-se com a outra mão em um suporte estático para apoio. Realize o exercício utilizando a mesma técnica e posição corporal conforme definido no exercício padrão.

DIFÍCIL
Para aumentar o nível de dificuldade no início do movimento, use duas correias fixadas em polias baixas. Posicione-se entre as duas polias baixas; agarre a alça da polia direita com a mão esquerda, e da polia esquerda com a mão direita. Eleve os braços lateralmente até que os cotovelos estejam na altura do ombro. Certifique-se de que os cotovelos estejam ligeiramente mais altos que os punhos durante todo o movimento.

músculos ativos

❶ Trapézio
❷ Supraespinhoso (sob o Trapézio)
❸ Deltoide lateral

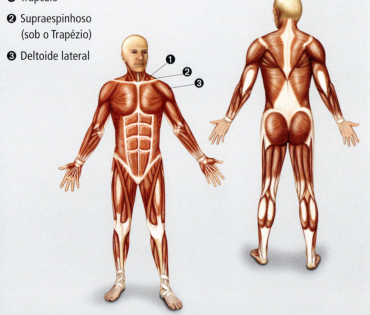

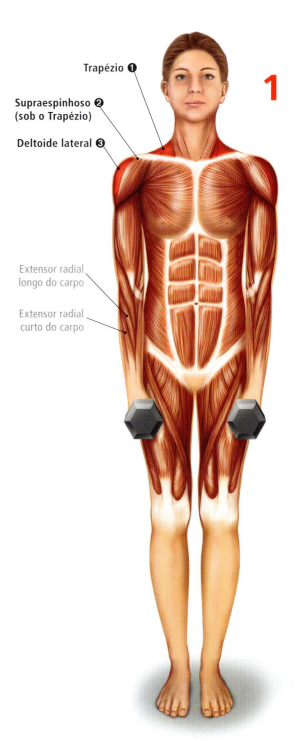

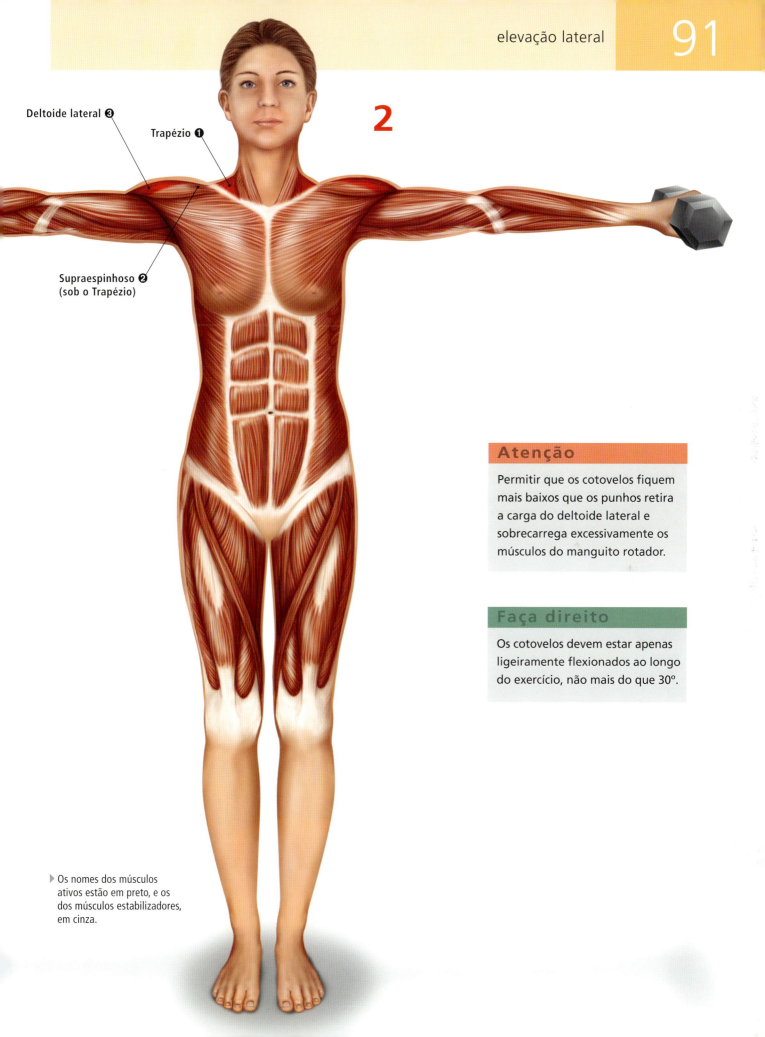

elevação lateral 91

Deltoide lateral ❸
Trapézio ❶
Supraespinhoso ❷
(sob o Trapézio)

2

Atenção
Permitir que os cotovelos fiquem mais baixos que os punhos retira a carga do deltoide lateral e sobrecarrega excessivamente os músculos do manguito rotador.

Faça direito
Os cotovelos devem estar apenas ligeiramente flexionados ao longo do exercício, não mais do que 30°.

▶ Os nomes dos músculos ativos estão em preto, e os dos músculos estabilizadores, em cinza.

Remada Vertical

Este é um exercício excelente para aprimorar a força dos ombros, e visa o deltoide lateral. Os músculos deltoide anterior, o trapézio e o bíceps são também recrutados como acessórios durante o levantamento da carga, enquanto os músculos da parte inferior das costas precisam estar ativos durante o exercício da remada vertical para fornecer apoio para a parte superior do corpo. Este exercício é apropriado para praticantes iniciantes e avançados, e é perfeito para esportes e profissões que envolvem os movimentos de levantar, arrastar ou empurrar cargas. Ele também é um bom ponto de partida para praticantes que querem aprender levantamentos de estilo olímpico mais avançado, como o arremesso e/ou arranco.

Atenção
Não arqueie as costas ou balance para frente e para trás para auxiliar o levantamento; isto sobrecarrega a parte inferior das costas

como fazer

De pé, com os pés afastados na largura dos ombros e os joelhos ligeiramente flexionados. Agarre a barra livre com as mãos afastadas na largura dos ombros, palmas das mãos voltadas para o corpo e cotovelos estendidos. Flexione os cotovelos e puxe a barra livre verticalmente, mantendo-a próxima ao corpo até que os cotovelos estejam na altura dos ombros. Permita que os punhos flexionem à medida que a barra se eleva. Abaixe lentamente a barra de volta para a posição inicial.

variações

FÁCIL
Realize este exercício um lado de cada vez, usando um haltere. Agarre o haltere em uma mão e, com a outra, segure-se em um objeto sólido e estático para apoio. Utilize a mesma técnica e posição do corpo da remada vertical padrão, garantindo que os cotovelos estejam voltados para o lado.

DIFÍCIL
Em vez de uma barra livre, utilize dois halteres para acrescentar uma instabilidade extra, que exige maior controle. Agarre os halteres com as mãos afastadas, na largura dos ombros, com as palmas das mãos voltadas para o corpo, e os cotovelos estendidos. Flexione os cotovelos e puxe os halteres verticalmente, mantendo a carga próxima ao corpo até que os cotovelos atinjam a altura dos ombros. Quando os halteres estiverem elevados, os punhos devem estar logo abaixo dos ombros com os cotovelos voltados para o lado.

músculos ativos

❶ Deltoide lateral
❷ Bíceps braquial
❸ Braquiorradial
❹ Trapézio
❺ Supraespinhoso (sob o Trapézio)

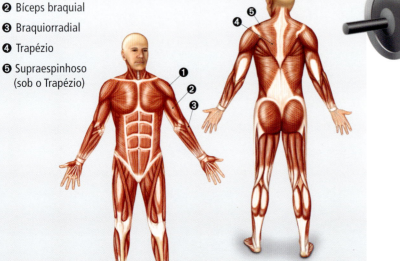

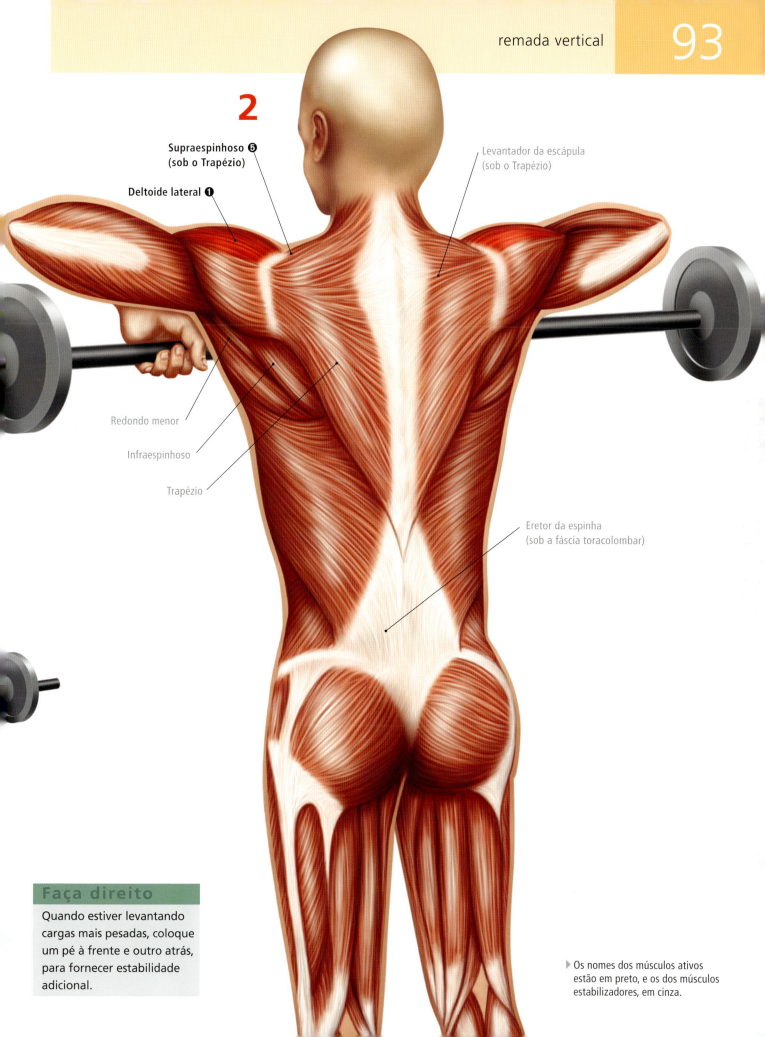

exercícios para os membros superiores e ombros

Encolhimento de Ombros

Este exercício de fortalecimento, simples e eficaz, visa a parte de trás dos ombros e a região superior das costas. As fibras superiores do músculo trapézio realiza a maior parte do levantamento da carga, com o levantador da escápula como acessório. O exercício de encolhimento de ombros também fornece aos músculos do antebraço um ótimo treinamento, uma vez que a carga relativamente pesada desafia a empunhadura. Este exercício é fantástico para aprimorar a força em movimentos como carregar, levantar ou arrastar. Ele atende a esportes e profissões em que essas atividades são exigidas, e onde a força da empunhadura é relevante, como o rúgbi, a luta e as artes marciais. Uma barra livre é tudo o que se precisa para realizar o encolhimento dos ombros. Um suporte rígido para segurar a barra à altura da metade da coxa ajudará a evitar lesão ao obter a posição inicial.

como fazer

De pé com os pés afastados na largura dos ombros e os joelhos estendidos. Agarre a barra livre com as mãos afastadas na largura dos ombros, com as palmas das mãos voltadas para o corpo, e os cotovelos estendidos. Permita que os ombros se abaixem. Puxe a barra para cima, elevando os ombros em direção às orelhas e mantendo a barra próxima ao corpo. Abaixe a barra lentamente, de volta para a posição inicial.

variações

FÁCIL
Utilize a chamada "empunhadura mista", na qual a palma de uma das mãos fica voltada para o corpo e outra para fora. Isto permite uma empunhadura mais forte na barra e evita que ela role pelas mãos. Puxe a barra para cima elevando os ombros em direção às orelhas, mantendo a barra próxima ao corpo. Abaixe-a lentamente, de volta para a posição inicial.

DIFÍCIL
Utilize um ou dois cabos baixos fixados em polias, ou dois halteres, para fornecer um desafio adicional à empunhadura e permitir uma amplitude de movimento ligeiramente maior e mais natural. Agarre o haltere ou as alças da correia com as mãos lado a lado, abaixo dos ombros, com as palmas voltadas para o corpo e os cotovelos estendidos.

músculos ativos

❶ Trapézio

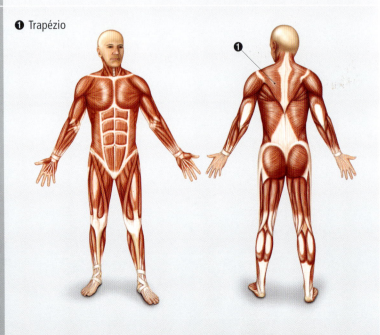

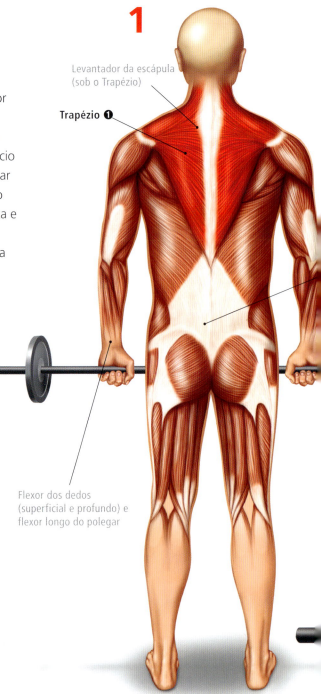

Levantador da escápula (sob o Trapézio)

Trapézio ❶

Flexor dos dedos (superficial e profundo) e flexor longo do polegar

Atenção

Certifique-se de usar um suporte para apanhar a barra na posição inicial, e mantenha uma postura ereta durante o exercício.

encolhimento de ombros 95

2

Levantador da escápula
(sob o Trapézio)

Trapézio ❶

Eretor da espinha
(sob a fáscia Toracolombar)

Eretor da espinha
(sob a fáscia Toracolombar)

Flexor dos dedos (superficial e profundo)
e flexor longo do polegar

Faça direito

Levante os ombros, mantendo-os alinhados. Lançar os ombros para trás e ao redor é desnecessário e compromete a segurança.

▶ Os nomes dos músculos ativos estão em preto, e os dos músculos estabilizadores, em cinza.

96 exercícios para os membros superiores e ombros

Flexão de Punho

Este exercício simples foca os músculos flexores do punho. O flexor ulnar do carpo e o flexor radial do carpo são os principais alvos, enquanto os músculos que fornecem a força da empunhadura também recebem grande sobrecarga. Embora não seja necessário como parte do programa de treinamento de um iniciante, a flexão de punho é um bom complemento para o final de um trabalho para praticantes mais avançados, para assegurar que suas empunhaduras se mantenham fortes o suficiente para realizar outros exercícios, à medida que eles comecem a levantar cargas mais pesadas. Esportes como alpinismo, rúgbi e artes marciais, assim como todos os esportes de raquete e rebatidas, se beneficiam com o alto nível de força do antebraço e empunhadura que se desenvolve com a flexão de punho.

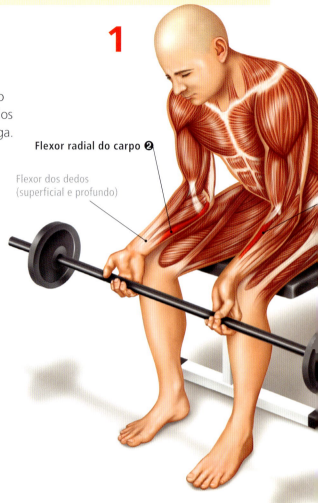

1

Flexor radial do carpo ❷

Flexor dos dedos (superficial e profundo)

como fazer

Sente-se em um banco ou cadeira e agarre uma barra livre com as mãos ligeiramente mais próximas que a largura dos ombros, com a palma das mãos voltadas para o teto. Apoie os antebraços nas coxas, com os punhos além dos joelhos, de forma que eles possam estender em direção ao chão sem tocar as pernas. Abaixe a barra livre em direção ao chão, permitindo que ela role pelas palmas das mãos até os dedos. Traga-a de volta, agarrando-a na mão e com os nós dos dedos voltados para o teto.

variações

FÁCIL
Fique de pé para realizar a flexão de punho se a posição do punho na extensão for desconfortável. Segure a barra atrás do corpo de forma que ela fique logo abaixo dos músculos do glúteo. Agarre a barra livre com as mãos afastadas na largura dos ombros e com as palmas das mãos voltadas para fora do corpo. Puxe a barra para cima agarrando a barra nas mãos e flexionando os punhos.

DIFÍCIL
Para um desafio adicional, realize a flexão de punho utilizando um haltere em cada mão. Isto exige mais controle de outros músculos do antebraço. Alternativamente, realize o exercício com uma barra livre, com as palmas das mãos voltadas para o chão, para trabalhar os músculos extensores do punho e proporcionar um treinamento para todo o antebraço.

músculos ativos

❶ Flexor radial do carpo
❷ Flexor ulnar do carpo

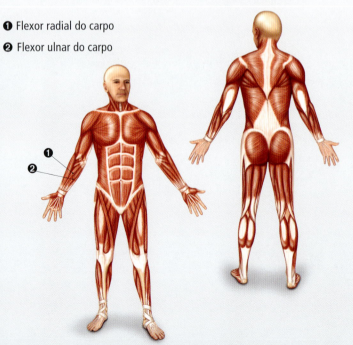

Atenção
Certifique-se de que a área do chão está livre, de forma que, se a barra rolar para fora dos dedos, ela caia seguramente no solo, sem atingir os pés de alguém.

Faça direito
Mantenha os punhos e os cotovelos na mesma altura para manter a resistência nos músculos flexores do punho.

flexão de punho 97

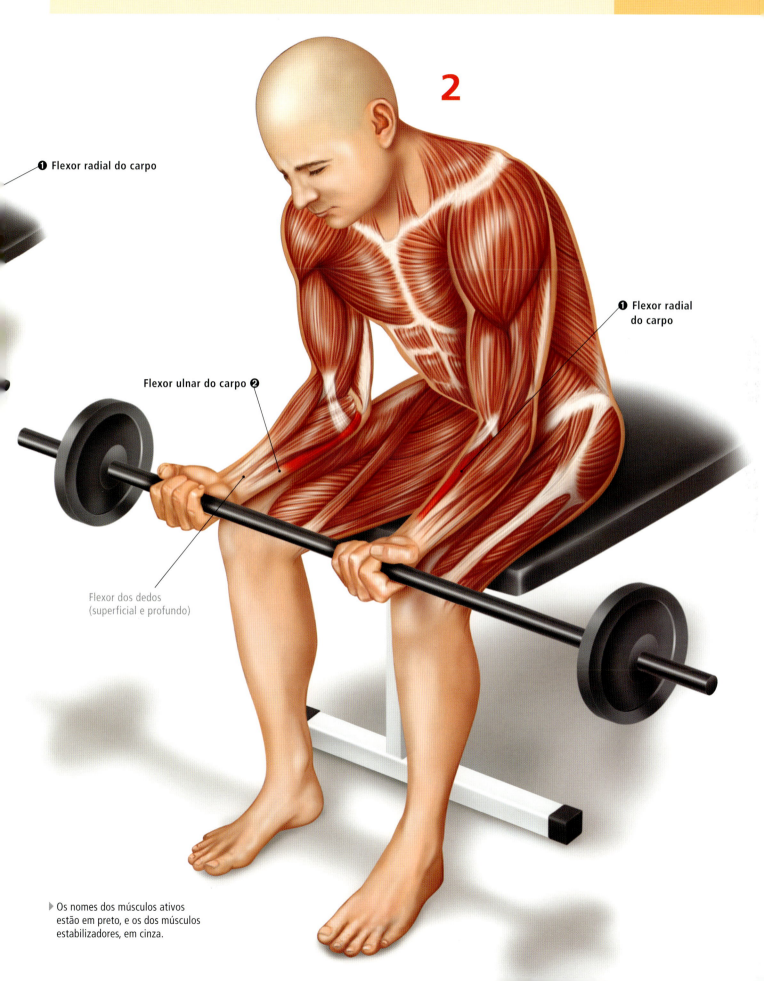

❶ Flexor radial do carpo

❶ Flexor radial do carpo

Flexor ulnar do carpo ❷

Flexor dos dedos
(superficial e profundo)

▶ Os nomes dos músculos ativos estão em preto, e os dos músculos estabilizadores, em cinza.

98

Exercícios para os Membros Inferiores e Glúteos

Esta seção tem, como enfoque, os músculos necessários para andar, correr, pular e chutar. Músculos dos membros inferiores e glúteo fracos ou lesionados podem causar uma incapacidade considerável. Tanto iniciantes como levantadores de peso experientes devem realizar treinamentos regulares de resistência para essas regiões – para aumentar a força, a tonicidade, a potência, a resistência e o tamanho do músculo. Os exercícios a seguir também são apropriados para programas de reabilitação, quando profissionais da saúde prescrevem treinamentos de intensidade, volume e frequência específica.

Não negligencie exercícios que trabalhem as partes posteriores das coxas, uma vez que isto pode levar a um desequilíbrio de força entre isquiotibiais e quadríceps. Almeje ambos os lados da perna para criar um treino equilibrado.

Agachamento com Halteres	100
Agachamento com Barra Livre	102
Avanço com Barra Livre	104
Levantamento Terra	106
Levantamento Terra Romeno	108
Step-up	110
Panturrilha em Pé (Flexão Plantar, em Pé)	112
Panturrilha, Sentado (Flexão Plantar, Sentado)	114
Cadeira Extensora (Extensão de Joelho)	116
Cadeira Flexora (Flexão de Joelho, Sentado)	118
Mesa Flexora (Flexão de Joelho, Deitado)	120
Leg press	122
Isquiotibiais Nórdicos (*Nordic Hamstrings*)	124
Adução de Quadril	126
Abdução de Quadril	128

100 exercícios para os membros inferiores e glúteos

Agachamento com Halteres

Este eficiente exercício trabalha o quadríceps, o grupo dos músculos adutores, os glúteos, e em menor intensidade os isquiotibiais e a parte inferior das costas. Ele é excelente para qualquer esporte que exija movimentos de saltar, correr ou chutar, e é constantemente utilizado por entusiastas do condicionamento físico de uma forma geral, que desejam enrijecer a parte inferior do corpo. Embora adequado para praticantes iniciantes, intermediários e avançados, poderão ocorrer lesões se o agachamento com halteres não for realizado corretamente. Enfatize a técnica correta.

Os iniciantes se sentirão mais estáveis realizando este exercício em vez do agachamento com barra livre, uma vez que os halteres são mantidos próximos do centro de gravidade do corpo. Este exercício pode ser realizado tanto em casa quanto em ambiente de academia.

como fazer

Com os pés afastados na largura dos ombros ou um pouco mais afastados, segure os halteres lateralmente com as palmas das mãos viradas uma para a outra. Concentre-se para frente, na altura dos olhos. Flexione os joelhos e desça lentamente, até o momento em que as coxas estejam paralelas ao solo. Retorne para a posição inicial com os joelhos estendidos estendidas. Certifique-se de que as costas sejam mantidas eretas com uma curvatura lombar normal ao longo do agachamento, e que os calcanhares se mantenham no chão. Se os calcanhares começarem a levantar, interrompa o movimento de descida.

variações

DIFÍCIL
Use uma bola de estabilidade contra a parede, posicionada na região lombar das costas, para fornecer um suporte extra e equilíbrio durante o agachamento. Nas fases de descida e subida do exercício, permita que a bola role para cima e para baixo das costas, respectivamente.

FÁCIL
Fique de pé, no limite de um banco ou uma caixa resistente, e realize um "agachamento unilateral com halteres". Baixe lentamente o corpo, de acordo com o exercício padrão, porém solte uma perna abaixo da caixa e transfira todo o suporte do peso corporal, adicionados ao peso dos halteres, para a outra perna. Adicionar peso externo ativará o quadríceps e o glúteo máximo. Realize repetições para cada perna.

músculos ativos

❶ Adutor curto (sob o Adutor longo)
❷ Vasto intermédio (sob o Reto femoral)
❸ Adutor longo
❹ Adutor magno
❺ Vasto lateral
❻ Reto femoral
❼ Vasto medial
❽ Glúteo máximo

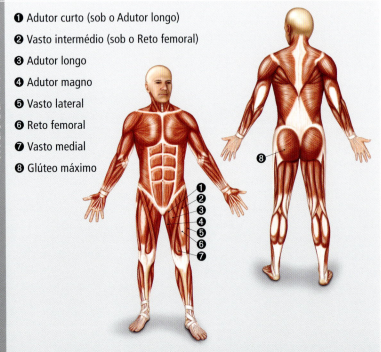

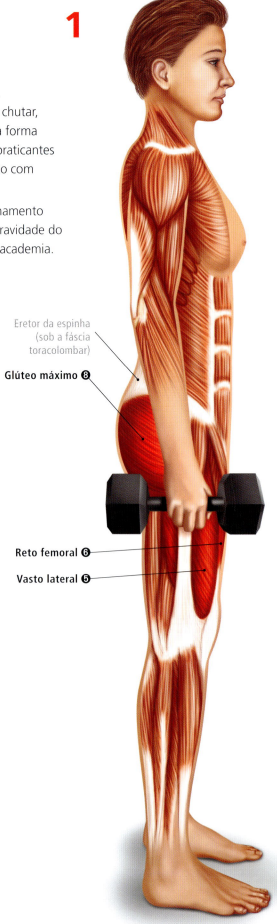

Eretor da espinha (sob a fáscia toracolombar)
Glúteo máximo ❽
Reto femoral ❻
Vasto lateral ❺

agachamento com halteres 101

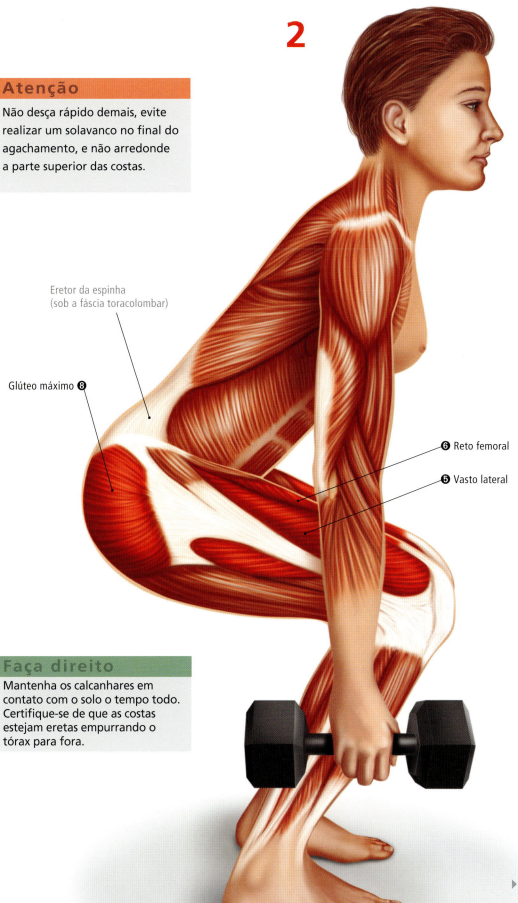

2

Atenção
Não desça rápido demais, evite realizar um solavanco no final do agachamento, e não arredonde a parte superior das costas.

Eretor da espinha
(sob a fáscia toracolombar)

Glúteo máximo ❽

❻ Reto femoral

❺ Vasto lateral

Faça direito
Mantenha os calcanhares em contato com o solo o tempo todo. Certifique-se de que as costas estejam eretas empurrando o tórax para fora.

▶ Os nomes dos músculos ativos estão em preto, e os dos músculos estabilizadores, em cinza.

exercícios para os membros superiores e glúteos

Agachamento com Barra Livre

Este exercício de fortalecimento almeja a parte anterior das coxas, os adutores e os glúteos, assim como os isquiotibiais e parte inferior das costas em menor proporção. Em particular, o quadríceps e o glúteo máximo recebem uma grande sobrecarga. O agachamento com barra livre é ideal para esportes que envolvem o saltar, correr ou chutar, e é um bom exercício de enrijecimento da parte inferior do corpo para treinadores. Uma vez que a barra é apoiada na parte superior das costas durante o movimento, posicione-a corretamente para a proteção contra lesões. Certifique-se de que a técnica apropriada é mantida ao longo de todo exercício antes de aumentar o peso. O agachamento com barra livre exige equipamentos mínimos, portanto, pode ser realizado em casa ou academia.

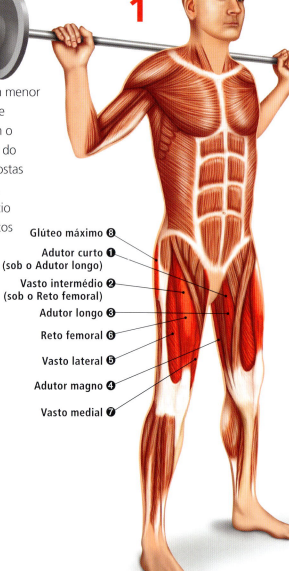

Glúteo máximo ❽
Adutor curto ❶ (sob o Adutor longo)
Vasto intermédio ❷ (sob o Reto femoral)
Adutor longo ❸
Reto femoral ❻
Vasto lateral ❺
Adutor magno ❹
Vasto medial ❼

como fazer

Posicione-se com os pés afastados na largura dos ombros, coloque a barra sobre os ombros e descanse a barra sobre a parte mais superior do músculo trapézio. Segure a barra com as mãos ligeiramente mais afastadas da largura dos ombros. Concentre-se para frente, na altura dos olhos – não olhe para baixo. Flexione os joelhos e desça lentamente, mantendo os calcanhares no chão. Pare quando as coxas estiverem paralelas ao solo e, então, retorne para a posição inicial com os joelhos estendidos. Se os calcanhares começarem a levantar, interrompa o movimento de descida naquele ponto.

variações

FÁCIL Tente realizar um quarto do movimento de agachamento, que usa a mesma técnica que o exercício padrão, mas limita a amplitude de movimento. Pare o movimento de descida quando as coxas estiverem no meio do caminho entre a posição ereta e a posição paralela ao solo, e então, retorne à posição inicial.

DIFÍCIL Tente um "agachamento frontal". Antes de começar, reduza significativamente a quantidade de peso a ser levantada. Descanse a barra na parte anterior dos ombros, com as palmas das mãos voltadas para o corpo e as pontas dos dedos agarrando a barra. Esta empunhadura estende os músculos do punho. Siga o exercício padrão, mas mantenha o tronco em uma posição mais vertical para evitar que a barra escorregue dos ombros. Certifique-se de que os cotovelos estão voltados para frente e que os braços se mantenham paralelos ao solo.

músculos ativos

❶ Adutor curto (sob o Adutor longo)
❷ Vasto intermédio (sob o Reto femoral)
❸ Adutor longo
❹ Adutor magno
❺ Vasto lateral
❻ Reto femoral
❼ Vasto medial
❽ Glúteo máximo

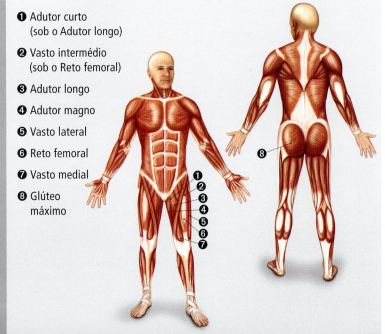

Faça direito

Mantenha as costas ereta, com sua curvatura lombar normal, ao longo de todo o movimento. Evite arredondar as costas para frente durante a descida e subida.

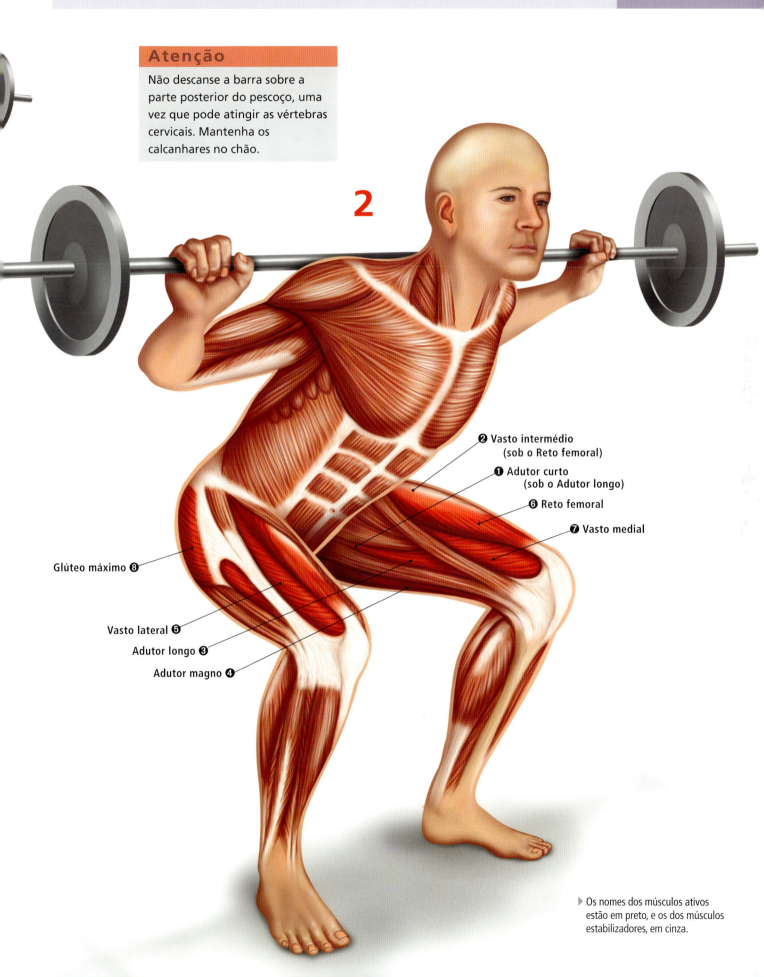

Avanço com Barra Livre

Este exercício popular trabalha o quadríceps, os glúteos e o grupo dos músculos adutores, que incluem os músculos vasto lateral, o vasto intermédio, o vasto medial, o glúteo máximo, o adutor curto e o adutor magno. Ele é excelente para esportes que envolvem a corrida, o saltar e o chutar, uma vez que o avanço abrange movimentos nas articulações do quadril, do joelho e do tornozelo. Embora, neste exercício, comparado aos vários tipos de agachamentos, sejam utilizados pesos mais leves, a vantagem do avanço é que envolve a saída com apenas uma perna – um movimento comum em muitos esportes. Ele é apropriado para praticantes iniciantes e avançados, e pode ser realizado com barra livre, halteres ou simplesmente com a utilização do peso corporal no ambiente de casa ou de academia.

como fazer

Posicione-se com os pés juntos e segure a barra livre sobre o trapézio superior, com as mãos posicionadas ligeiramente mais afastadas que a largura dos ombros. Realize um passo grande à frente, posicionando o pé da frente no solo com os dedos voltados para frente. Flexione primeiro o joelho da frente, e depois ambos os joelhos, enquanto o corpo abaixa. Pare quando o joelho da perna de trás estiver próximo de um ângulo de 90°, com o calcanhar levantado e com o peso sobre a parte anterior da planta do pé. Empurre para a posição inicial com a perna da frente.

variações

FÁCIL — Caso considere difícil manter-se equilibrado, segure lateralmente um haltere em cada mão, em vez de uma barra livre sobre as costas. Isto aumenta a estabilidade ao longo do movimento, porque os pesos estão mais próximos do centro de gravidade do corpo.

DIFÍCIL — Realize o avanço andando. Siga o exercício padrão, mas, ao final de cada avanço, dê um passo à frente com a perna de trás, de forma que ela assuma a posição de avanço anterior. Alternativamente, tente utilizar halteres lateralmente, ou segure uma anilha ou uma *medicine Ball* sobre a cabeça, com os cotovelos estendidos.

músculos ativos

❶ Adutor curto (sob o Adutor longo)
❷ Vasto intermédio (sob o Reto femoral)
❸ Adutor magno
❹ Vasto lateral
❺ Vasto medial
❻ Glúteo máximo

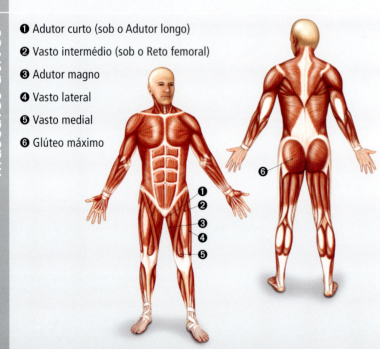
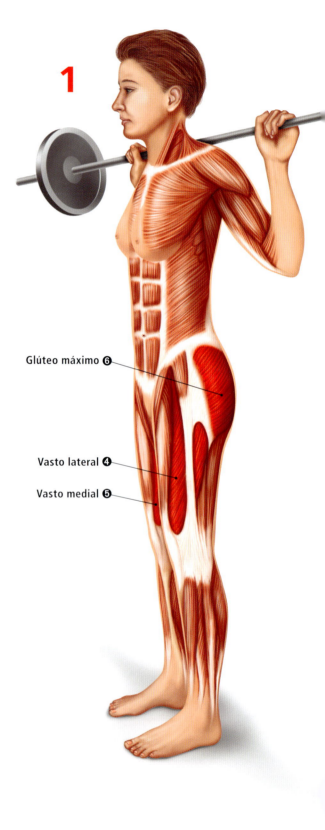

1

Glúteo máximo ❻
Vasto lateral ❹
Vasto medial ❺

exercícios para os membros superiores e glúteos

Levantamento Terra

Este exercício estrutural trabalha múltiplos músculos, especialmente aqueles dos glúteos, das pernas e das costas. Quando realizado com a técnica correta, o levantamento terra é apropriado para praticantes do nível iniciante ao avançado. E, por exigir apenas uma barra livre e anilhas, sua prática é recomendável tanto para casa quanto para ambientes de academia. Aqueles que são novatos em treinamento de resistência devem começar com pesos leves e aumentar a carga lentamente, de forma que seu corpo possa se adaptar à sobrecarga, e eles consigam aperfeiçoar sua técnica. Levantadores de peso experientes podem realizar o levantamento terra com cargas pesadas.

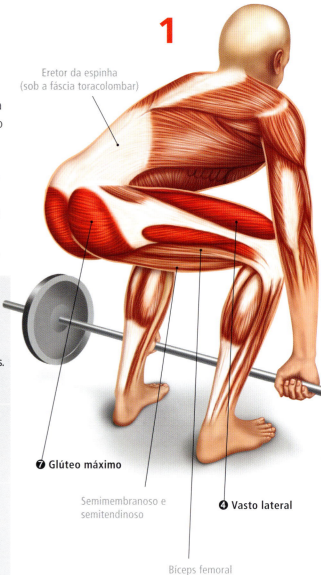

1

Eretor da espinha (sob a fáscia toracolombar)

❼ Glúteo máximo

Semimembranoso e semitendinoso

❹ Vasto lateral

Bíceps femoral

como fazer

Posicione-se em frente à barra com pesos, disposta no chão, com os pés afastados na largura dos ombros. Mantenha as costas e os braços retos, flexione os joelhos até que seja possível alcançar a barra, utilizando uma empunhadura alternativa, com as mãos um pouco além da linha dos joelhos. Olhe para frente, contraia o abdômen e os músculos inferiores das costas, e, então, alinhe os joelhos e os quadris até que fiquem completamente estendidos. Ao final do levantamento, encolha os ombros em direção às orelhas. Abaixe os ombros, flexione os joelhos, e lentamente retorne a barra ao solo.

variações

FÁCIL — Use uma barra menor, fixada a um cabo de uma máquina com pesos empilhados. Esse procedimento facilita o ajuste do peso, e pelo fato de os pesos empilhados serem guiados por colunas de metal, é oferecida uma maior estabilidade para a barra que se movimenta.

DIFÍCIL — Aumente o desafio ao realizar o um levantamento terra estilo "sumô". Adote uma postura com os joelhos flexionados mais afastados, com os pés posicionados ligeiramente para fora, e olhos concentrados à frente. Agarre a barra entre as pernas, com as mãos juntas em uma empunhadura alternativa, e com os cotovelos estendidos. Mantenha as costas alinhadas, contraia o abdômen e os músculos da parte inferior das costas e, então, estenda os joelhos. Flexione lentamente os joelhos para retornar a barra ao solo.

músculos ativos

❶ Adutor curto (sob o Adutor longo)
❷ Vasto intermédio (sob o Reto femoral)
❸ Adutor magno
❹ Vasto lateral
❺ Reto femoral
❻ Vasto medial
❼ Glúteo máximo

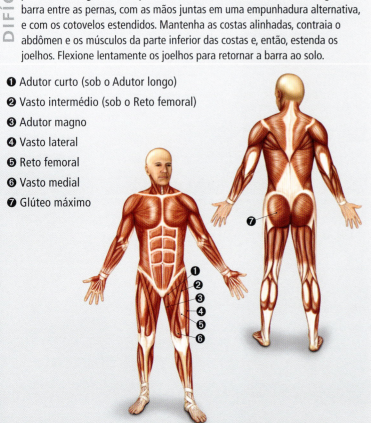

Faça direito

Mantenha as costas alinhadas com a curvatura lombar normal. Mantenha os cotovelos estendidos durante o movimento e abaixe o peso lentamente até o chão.

levantamento terra 107

Atenção
Evite olhar para baixo durante a execução do levantamento. Não arredonde as costas. Se for iniciante, não aumente a carga muito rapidamente.

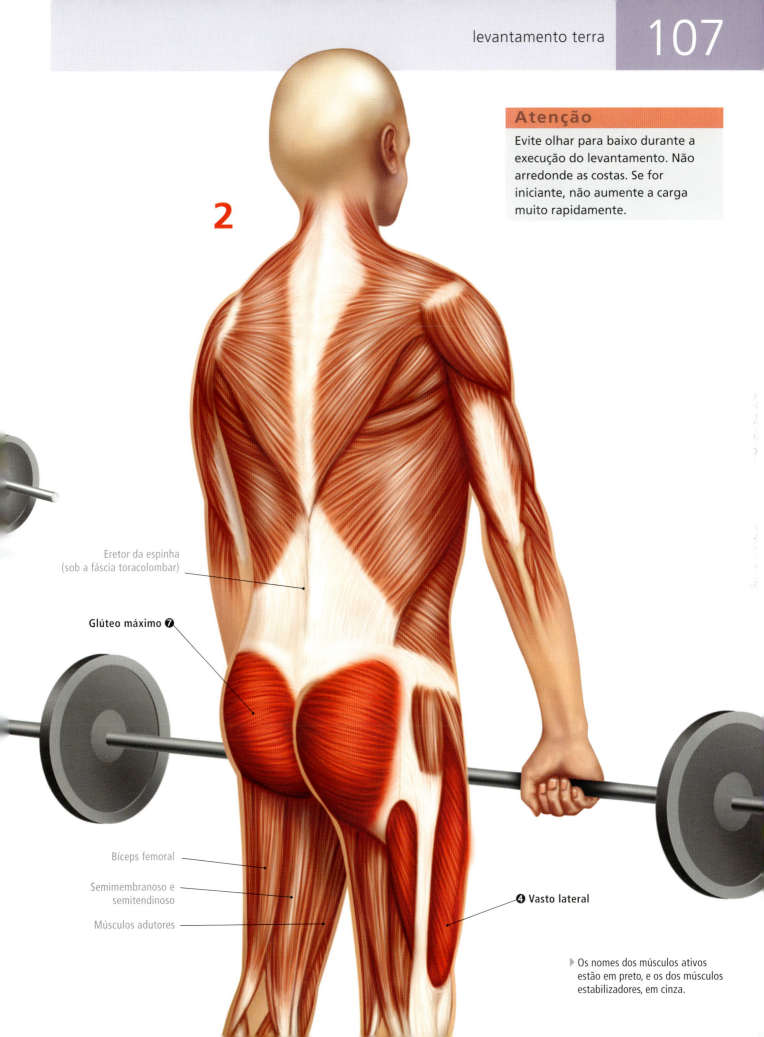

2

Eretor da espinha (sob a fáscia toracolombar)

Glúteo máximo ❼

Bíceps femoral

Semimembranoso e semitendinoso

Músculos adutores

❹ Vasto lateral

▸ Os nomes dos músculos ativos estão em preto, e os dos músculos estabilizadores, em cinza.

108 exercícios para os membros superiores e glúteos

Levantamento Terra Romeno

Esta variação do levantamento terra foi nomeada após o famoso levantador de peso romeno, Nicu Vlad, incorporar este exercício enquanto treinava nos Estados Unidos. O exercício visa os glúteos e o grupo dos músculos isquiotibiais, particularmente trabalhando o glúteo máximo, o semitendinoso, o semimembranoso e o bíceps femoral. Embora todos os níveis de praticantes possam realizar o levantamento terra romeno, certifique-se de que a técnica correta seja realizada para evitar lesões. Neste tipo de levantamento, há uma flexão mínima dos joelhos, portanto, levante menos carga em comparação à utilizada em outras variações de levantamento terra. Este exercício é apropriado tanto para casa quanto para ambientes de academia, uma vez que requer apenas uma barra ou conjunto de halteres para a execução.

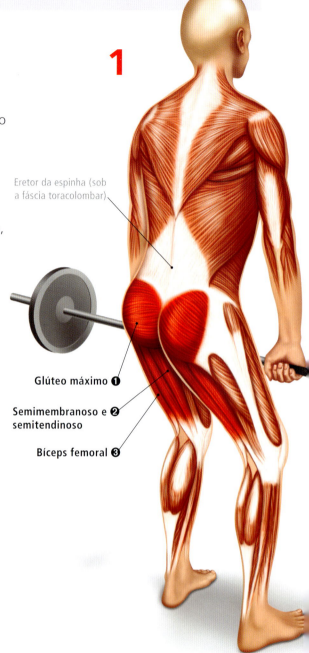

Eretor da espinha (sob a fáscia toracolombar)

Glúteo máximo ❶

Semimembranoso e ❷ semitendinoso

Bíceps femoral ❸

como fazer

Posicione-se com os pés afastados na largura dos ombros e alcance a barra com as mãos ligeiramente além da linha das coxas, com as palmas das mãos voltadas para o corpo. Flexione os joelhos ligeiramente e mantenha este ângulo do joelho ao longo de todo o movimento. Mantendo a barra próxima ao corpo e com as costas e braços alinhados, lentamente, abaixe o tronco flexionando os quadris até que a barra atinja uma posição igual, ou ligeiramente acima, à altura do joelho. Estenda os quadris e retorne para a posição inicial.

variações

FÁCIL Utilize apenas o peso corporal, em vez de utilizar uma barra, e concentre-se na técnica. Uma vez que se sinta confiante com a esta técnica, avance para a técnica com barras ou tente, alternativamente, utilizar halteres.

DIFÍCIL Para aumentar o desafio, realize o levantamento terra romeno com uma perna. Segure um haltere em cada mão, na altura do quadril, próximo ao corpo, com os joelhos ligeiramente flexionados. Flexione para frente com os quadris, assim como exercício padrão, mas deixe uma perna estendida para trás enquanto o tronco desce. Mantenha as costas alinhadas. Levante a perna até que forme uma superfície plana com as costas. Retorne lentamente para a posição inicial, então repita para a outra perna.

músculos ativos

❶ Glúteo máximo
❷ Semimembranoso e semitendinoso
❸ Bíceps femoral

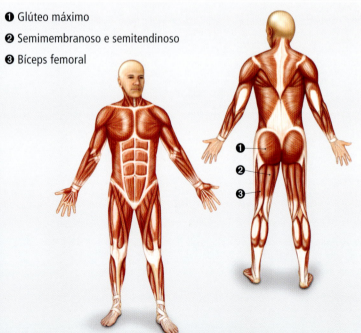

Faça direito

Mantenha os joelhos flexionados no mesmo ângulo, e as costas alinhadas ao longo do levantamento. Abaixe o tronco em um movimento lento e controlado.

levantamento terra romeno

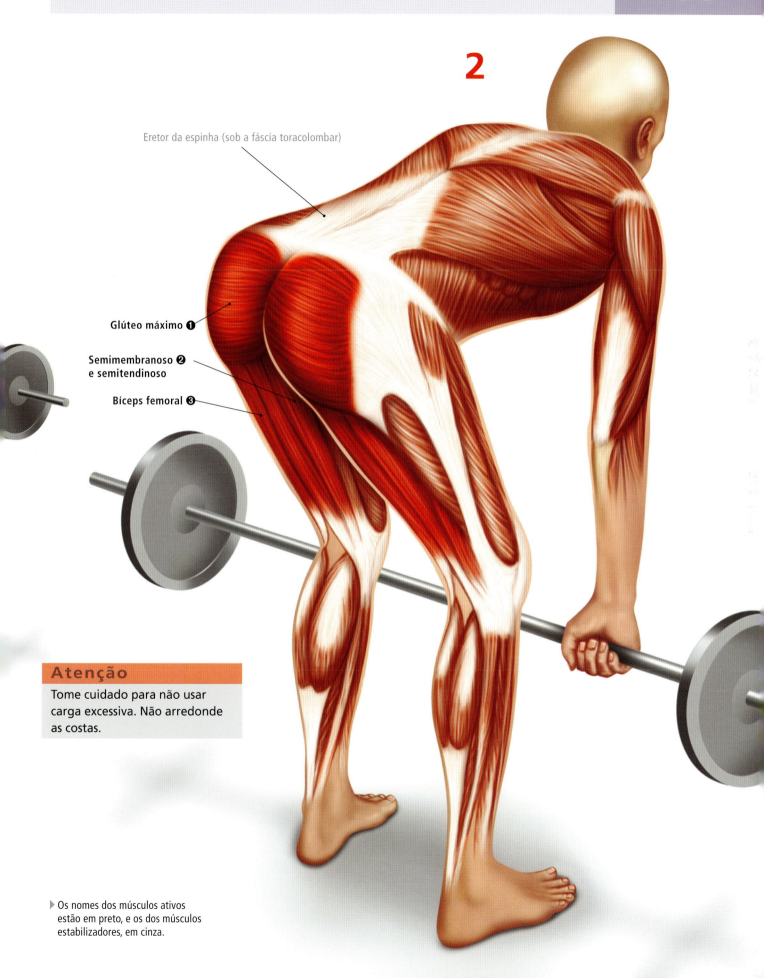

2

Eretor da espinha (sob a fáscia toracolombar)

Glúteo máximo ❶

Semimembranoso ❷ e semitendinoso

Bíceps femoral ❸

Atenção
Tome cuidado para não usar carga excessiva. Não arredonde as costas.

▶ Os nomes dos músculos ativos estão em preto, e os dos músculos estabilizadores, em cinza.

| 110 | exercícios para os membros superiores e glúteos |

Step-up

Este exercício clássico foca muitos músculos da parte inferior do corpo, como quadríceps, glúteo máximo, flexores do quadril (iliopsoas), panturrilhas e, em menor proporção, os isquiotibiais. Portanto, é um excelente exercício para esportes como futebol, hóquei e lacrosse. Com um pouco de prática, o *step-up* é realizado com facilidade. Ele pode ser incorporado na maioria das rotinas de exercícios e é uma escolha popular para programas de treinamento em circuito. O *step-up* é apropriado para todos os níveis de praticantes. Exige-se apenas uma barra livre ou um par de halteres, e uma caixa resistente ou degrau, o que facilita sua realização tanto em casa quanto em academia.

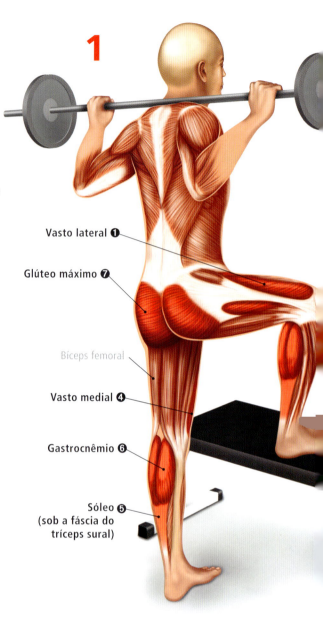

como fazer

Posicione-se à frente de uma caixa resistente, variando de 8 a 16 polegadas (20 a 40 cm) de altura, com os pés juntos. Coloque a barra sobre os músculos superiores do trapézio – evite o contato com o pescoço. Olhando para frente e mantendo as costas alinhadas, levante uma perna do chão e coloque o pé sobre a caixa. Suba o degrau, colocando o outro pé sobre a caixa. Desça o degrau uma perna por vez, em um movimento controlado.

variações

FÁCIL

Segure o haltere lateralmente com as palmas das mãos voltadas para o corpo. Isto mantém a carga mais próxima do centro de gravidade do corpo e, por isso, é menos desafiador, do ponto de vista do equilíbrio.

DIFÍCIL

Suba o degrau com um pé, mas em vez de colocar o outro pé sobre a caixa, continue elevando esta perna até a coxa ficar paralela ao solo antes de apoiá-la na caixa ou voltar diretamente para o chão. Este movimento adicional exige maior flexão do quadril e aumenta o desafio da manutenção do equilíbrio.

músculos ativos

❶ Vasto lateral
❷ Vasto intermédio (sob o Reto femoral)
❸ Reto femoral
❹ Vasto medial
❺ Sóleo (sob a fáscia do tríceps sural)
❻ Gastrocnêmio
❼ Glúteo máximo

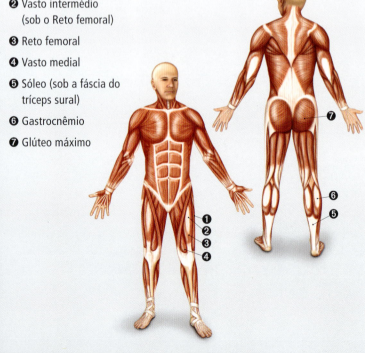

Atenção

Tome cuidado quando estiver descendo da caixa. Certifique-se de que a barra esteja fora da parte posterior do pescoço durante todo o tempo.

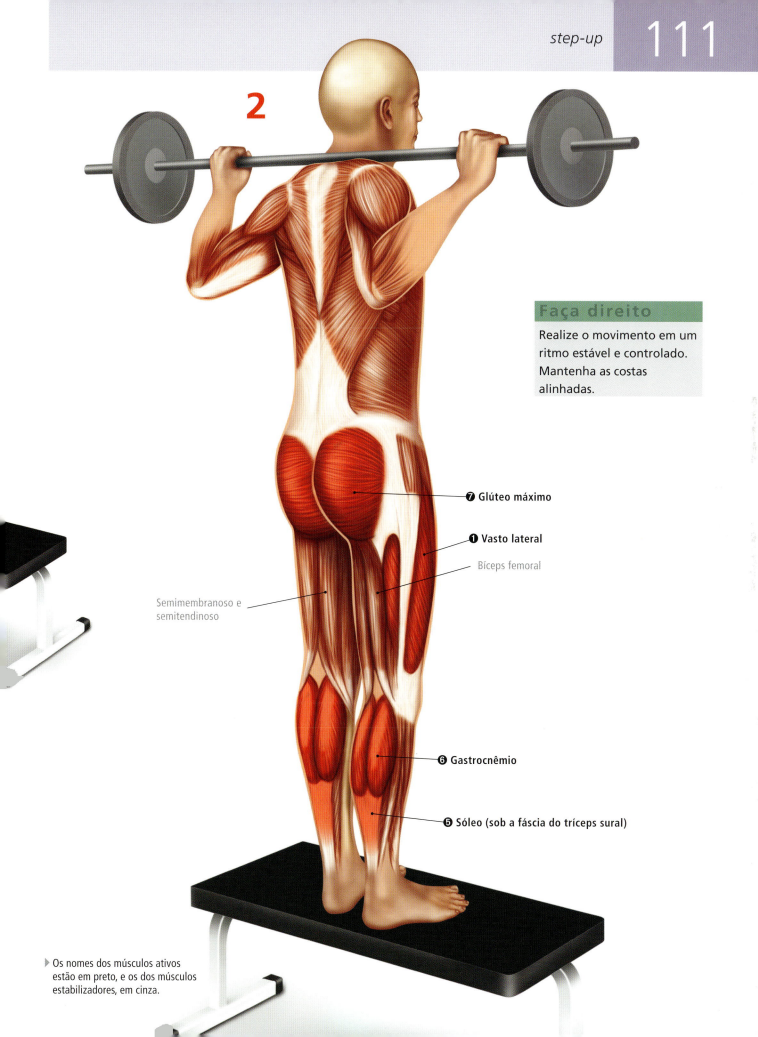

exercícios para os membros inferiores e glúteos

Panturrilha em Pé (Flexão Plantar, em Pé) 1

Este exercício para perna treina os músculos flexores plantares da panturrilha, que são utilizados para posicionar o pé em ações como empurrar o pedal de aceleração do carro. Este exercício é uma boa escolha para praticantes do nível iniciante ao avançado, e pode ser realizado em casa ou em ambiente de academia, dependendo da variação utilizada e do equipamento disponível. Levantadores de peso experientes constantemente usam cargas altas para o exercício de panturrilha em pé. No entanto, iniciantes devem começar com cargas leves e progredir apenas quando sua técnica e força aprimorarem. Este exercício beneficia esportes que envolvem o correr ou o saltar, como futebol, hóquei, corridas de velocidade e ginástica. Ele também é útil para treinamento voltado para a reabilitação dos tornozelos ou panturrilhas.

como fazer: Carregue a carga desejada na máquina para o exercício de panturrilha em pé. Posicione os ombros abaixo do apoio acolchoado e os pés na plataforma, com os calcanhares ligeiramente projetados para fora da plataforma. Mantendo as costas alinhadas, posicione-se até que os joelhos fiquem estendidos para assumir a posição inicial. Eleve-se o máximo possível na ponta dos pés e, então, abaixe os calcanhares lentamente, até a posição mais baixa possível, abaixo da plataforma. Não flexione os joelhos ou os quadris durante o movimento.

variações

FÁCIL: Posicione os dois pés sobre um degrau ou caixa rígida e siga o exercício padrão. À medida que a força aumenta, progrida para a posição de apenas uma perna e, então, segurando um haltere, ambas, para aumentar o estresse nos músculos da panturrilha. Esta é uma boa opção para treinamento em casa, quando não tiver disponível uma máquina para o exercício de panturrilha em pé.

DIFÍCIL: Incremente o exercício com uma sobrecarga de treinamento excêntrico, uma perna de cada vez. Realize o movimento para cima com ambas as panturrilhas, levantando o peso contra a gravidade, mas resista lentamente o movimento para baixo com apenas uma panturrilha, relaxando a panturrilha oposta. Repita o exercício até que seja concluído, para cada panturrilha, o número desejado de movimentos para baixo.

músculos ativos
❶ Gastrocnêmio
❷ Sóleo (sob a fáscia do tríceps sural)
❸ Flexor longo do hálux
❹ Flexor longo dos dedos
❺ Tibial posterior
❻ Plantar

(3, 4 e 5, todos sob o Sóleo e o Gastrocnêmio)

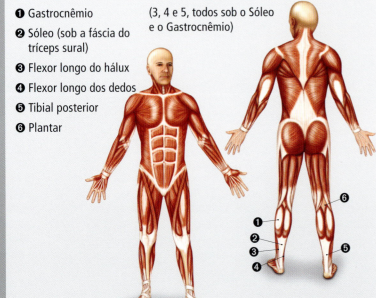
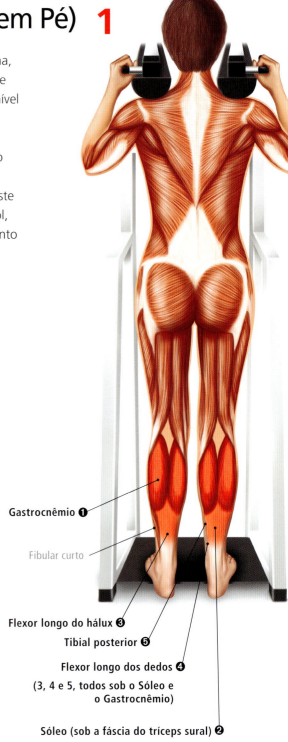

Gastrocnêmio ❶
Fibular curto
Flexor longo do hálux ❸
Tibial posterior ❺
Flexor longo dos dedos ❹
(3, 4 e 5, todos sob o Sóleo e o Gastrocnêmio)
Sóleo (sob a fáscia do tríceps sural) ❷

Atenção
Ao final do movimento, não caia bruscamente. Faça o movimento lentamente e controlado, enquanto os calcanhares abaixam.

panturrilha em pé 113

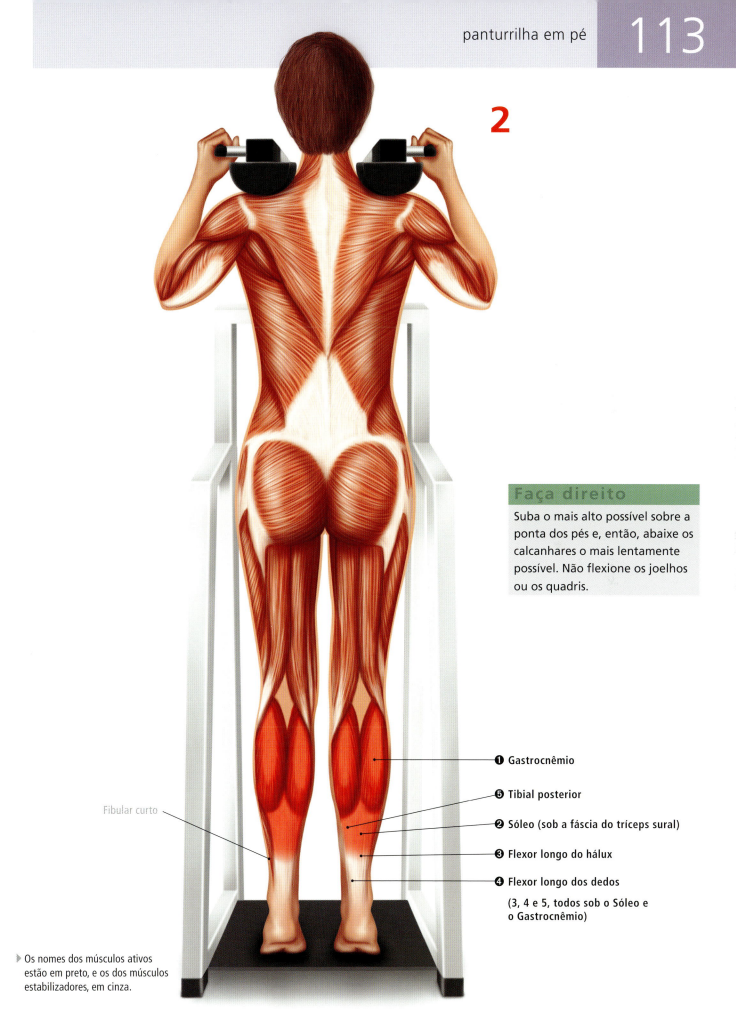

Faça direito
Suba o mais alto possível sobre a ponta dos pés e, então, abaixe os calcanhares o mais lentamente possível. Não flexione os joelhos ou os quadris.

❶ Gastrocnêmio
❺ Tibial posterior
❷ Sóleo (sob a fáscia do tríceps sural)
❸ Flexor longo do hálux
❹ Flexor longo dos dedos
(3, 4 e 5, todos sob o Sóleo e o Gastrocnêmio)

Fibular curto

▶ Os nomes dos músculos ativos estão em preto, e os dos músculos estabilizadores, em cinza.

exercícios para os membros inferiores e glúteos

Panturrilha, Sentado
(Flexão Plantar, Sentado)

Este exercício para panturrilha é outra boa opção para treinar os músculos flexores plantares. A posição exigida, com os joelhos flexionados, minimiza o envolvimento do grande músculo do gastrocnêmio e coloca maior ênfase sobre outros músculos flexores plantares da panturrilha. Use-o no treinamento para esportes como corridas em velocidade, futebol, ginástica e hóquei. Este exercício também pode ser incluído com sucesso em programas de reabilitação para panturrilhas e tornozelos. O exercício de panturrilha sentado é apropriado para todos os níveis de praticantes e pode ser realizado em casa ou em ambiente de academia. Uma máquina especializada, normalmente, é utilizada para o exercício padrão; porém outras variações que não requerem uma máquina são tão eficazes quanto.

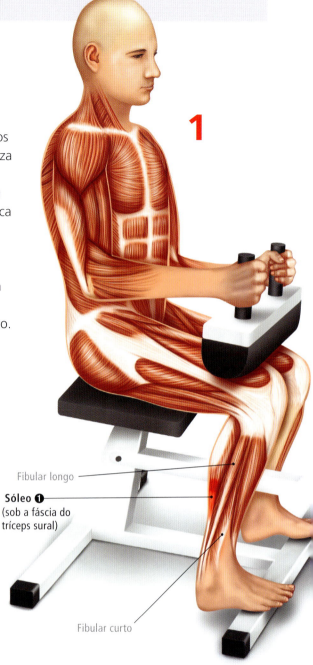

Fibular longo
Sóleo ❶ (sob a fáscia do tríceps sural)
Fibular curto

como fazer

Carregue a carga desejada na máquina para o exercício de panturrilha sentado. Sente-se e posicione as partes inferiores das coxas abaixo do apoio acolchoado, e os pés na plataforma, com os calcanhares ligeiramente projetados para fora da plataforma. Eleve o apoio acolchoado ao ficar na ponta dos pés. Desça lentamente a carga até que os calcanhares abaixem o mais longe possível da plataforma. Repita as séries como desejar.

variações

FÁCIL — Sente em uma cadeira ou banco e coloque os pés sobre uma caixa baixa ou degrau. Coloque uma toalha dobrada sobre as partes inferiores das coxas e dos joelhos e posicione uma barra com carga sobre a toalha. Eleve os calcanhares até ficar na ponta dos pés. Abaixe lentamente os calcanhares o mais longe possível abaixo da caixa.

DIFÍCIL — Aumente o desafio, enfocando uma perna de cada vez. Realize o movimento para cima conforme o exercício padrão, com ambas as panturrilhas levantando o peso contra a gravidade. Resista lentamente o movimento para baixo com apenas uma panturrilha, relaxando a panturrilha oposta. Isto implicará uma sobrecarga excêntrica aos músculos na fase descendente do exercício. Repita o exercício com a outra perna.

músculos ativos

❶ Sóleo (sob a fáscia do tríceps sural)
❷ Flexor longo do hálux
❸ Flexor longo dos dedos
❹ Tibial posterior
❺ Plantar

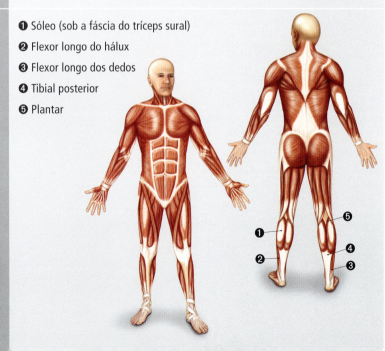

Faça direito

Suba o mais alto possível sobre a ponta dos pés durante o movimento de subida, e desça os calcanhares o mais baixo possível durante o movimento descendente.

panturrilha, sentado 115

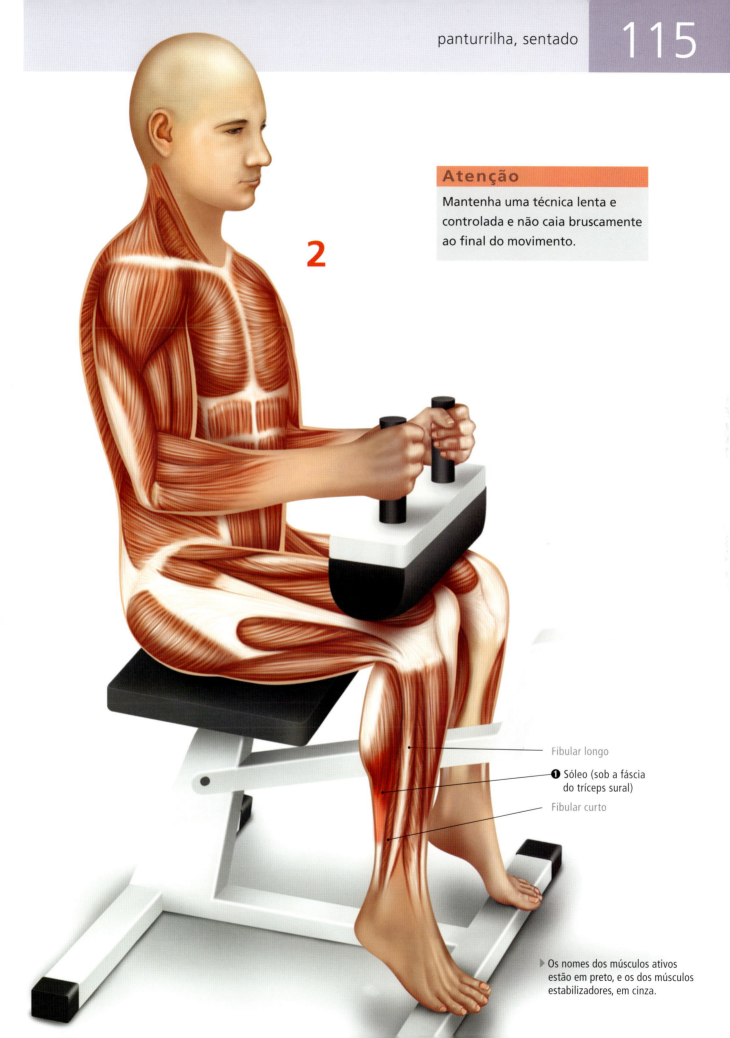

Atenção
Mantenha uma técnica lenta e controlada e não caia bruscamente ao final do movimento.

Fibular longo
❶ Sóleo (sob a fáscia do tríceps sural)
Fibular curto

▶ Os nomes dos músculos ativos estão em preto, e os dos músculos estabilizadores, em cinza.

Cadeira Extensora (Extensão de Joelho) 1

Este exercício popular almeja o grupo de músculos do quadríceps. Ele é útil para qualquer esporte que envolva os movimentos de correr, chutar, saltar ou esquiar. O exercício de extensão de joelho é apropriado para praticantes iniciantes e avançados, e pode ser realizado em casa ou em ambiente de academia, dependendo de qual variação seja utilizada. Uma vez que, normalmente, é realizado com o praticante sentado em uma máquina especializada, este exercício não exige o mesmo nível de equilíbrio que os exercícios de agachamento ou avanço. Embora isso possa ser uma vantagem em algumas circunstâncias, como cenários precoces de reabilitação, nos quais o equilíbrio possa ser problemático, também torna o exercício de extensão do joelho menos útil para praticantes que estão procurando por desafios ao equilíbrio e estabilidade em suas rotinas.

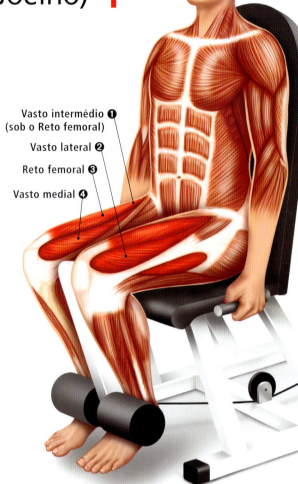

Vasto intermédio ❶
(sob o Reto femoral)
Vasto lateral ❷
Reto femoral ❸
Vasto medial ❹

como fazer

Sente-se em uma cadeira extensora de joelho e ajuste o apoio das costas até que a parte posterior dos joelhos se apoie no limite do assento acolchoado e as articulações do joelho fiquem alinhadas com o eixo de rotação do braço de alavanca. Ajuste o suporte das pernas logo acima da parte anterior dos tornozelos. Empurre contra o suporte das pernas, levante as pernas até que estejam totalmente estendidas. Mantenha o tronco ereto e os pés voltados para frente. Volte lentamente para a posição inicial e, então, repita.

variações

FÁCIL

Utilize tornozeleiras com pesos e realize o exercício sentado em uma cadeira ou mesa rígida. Posicione a carga ao redor da perna, diretamente sobre o tornozelo de cada perna. Se estiver usando uma cadeira, certifique-se de que seja alta o suficiente para evitar que os pés toquem o chão na fase de retorno do movimento. Mantenha o tronco ereto ao longo de todo o movimento.

DIFÍCIL

Avance para um desafio extra de sobrecarga excêntrica quando estiver baixando a carga, uma perna de cada vez. Realize o exercício padrão, utilizando ambas as pernas para levantar a carga, até que as pernas estejam totalmente estendidas. No entanto, na fase de retorno do movimento, resista ao impulso da carga com apenas uma perna. Complete repetições para cada perna.

músculos ativos

❶ Vasto intermédio (sob o Reto femoral)
❷ Vasto lateral
❸ Reto femoral
❹ Vasto medial

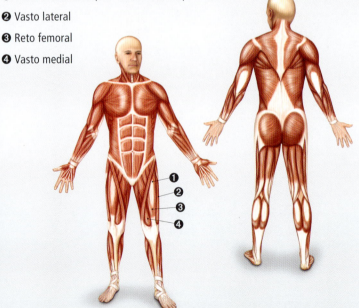

Atenção

Não desça muito rápido ou balance o tronco.

cadeira extensora 117

2

Faça direito
Estenda o joelho até os membros inferiores estarem alinhados. Desça lentamente e mantenha o tronco ereto ao longo de todo o exercício.

Vasto intermédio ❶
(sob o Reto femoral)
Vasto lateral ❷
Reto femoral ❸
Vasto medial ❹

▶ Os nomes dos músculos ativos estão em preto, e os dos músculos estabilizadores, em cinza.

exercícios para os membros inferiores e glúteos

Cadeira Flexora
(Flexão de Joelho, Sentado)

Este exercício sentado é outra escolha popular para almejar os músculos semitendinoso, semimembranoso e bíceps femoral dos isquiotibiais. Assim como o exercício de flexão de joelho deitado, ele promove ótimo treinamento para esportes que envolvem o movimento de correr e chutar, como o atletismo e futebol. O exercício de cadeira flexora é adequado para praticantes iniciantes e avançados; no entanto, por depender do equipamento para ser realizado, não é normalmente realizado em casa. Muitos treinadores preferem este exercício ao deitado, por acharem a posição sentada mais confortável.

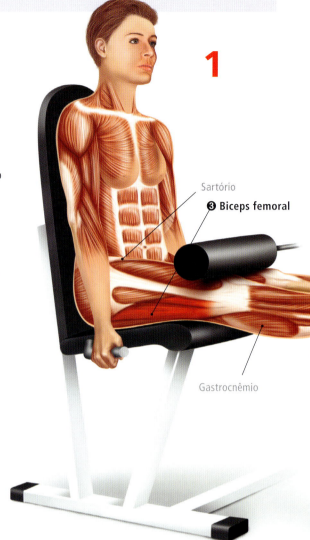

Sartório
❸ Bíceps femoral
Gastrocnêmio

como fazer

Sente-se em uma cadeira flexora de joelho e ajuste o apoio das costas até que os joelhos se apoiem no limite do assento acolchoado, com as articulações do joelho alinhadas com o eixo de rotação do braço de alavanca. Nivele o suporte para as pernas com a parte posterior do tornozelo. Segure as empunhaduras e puxe contra o suporte das pernas, flexionando os joelhos o máximo que a máquina permitir em direção aos glúteos. Volte lentamente para a posição inicial e repita. Mantenha o tronco ereto e pés voltados para frente ao longo do exercício.

variações

FÁCIL

Antes de começar, reduza a quantidade de pesos para a anilha mais leve possível e, então, siga o exercício padrão.

DIFÍCIL

Siga o exercício padrão, flexionando ambos os joelhos em direção aos glúteos. No entanto, na fase de retorno, resista ao impulso da carga com apenas uma perna. Isto implicará maior estresse nos músculos isquiotibiais durante a fase de alongamento, uma vez que este movimento (fase excêntrica) é capaz de suportar maior força que a fase de encurtamento (fase concêntrica) quando as pernas movem em direção aos glúteos. Alterne as pernas até que o número desejado de repetições tenha sido concluído.

músculos ativos

❶ Semitendinoso
❷ Semimembranoso
❸ Bíceps femoral

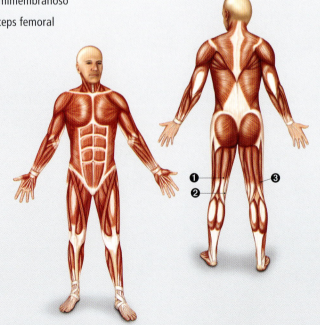

Faça direito

Leve as pernas em direção aos glúteos o máximo que o suporte das pernas permitir. Volte lentamente para a posição inicial e mantenha o tronco ereto.

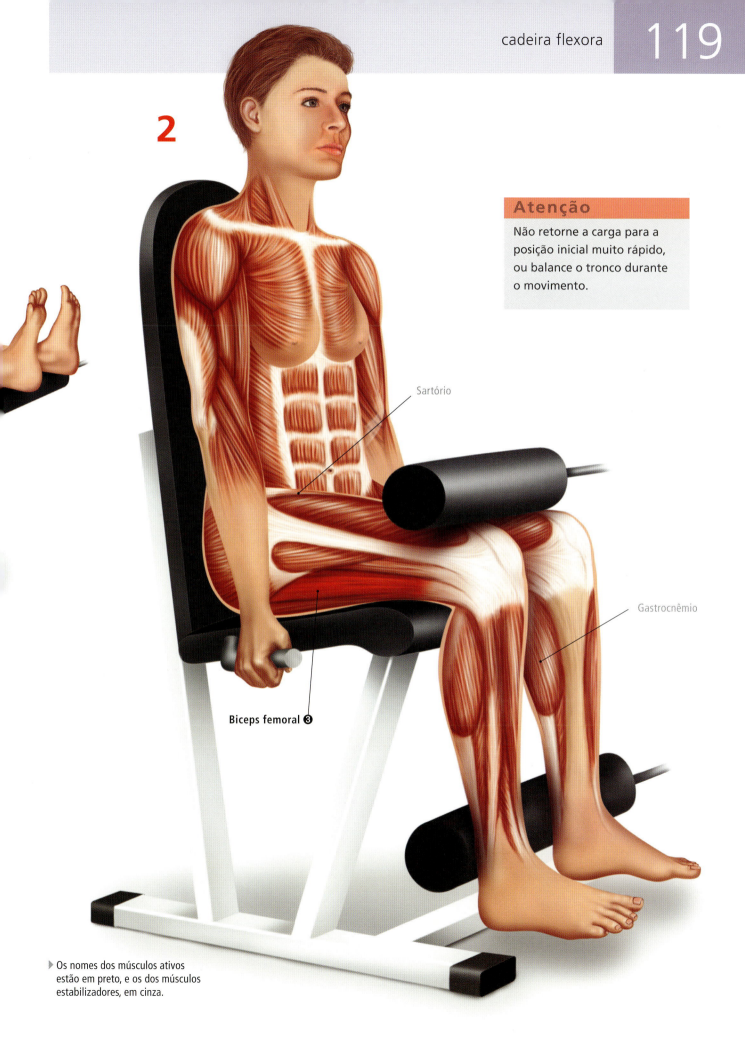

exercícios para os membros inferiores e glúteos

Mesa Flexora
(Flexão de Joelho, Deitado)

Este exercício popular efetivamente trabalha o semitendinoso, o semimembranoso e o bíceps femoral no grupo dos isquiotibiais. Almejar esta área auxilia movimentos de correr e chutar, o que faz do exercício de flexão de joelho sentado uma boa inclusão para a maioria dos programas específicos para esporte. Ele é apropriado para praticantes iniciantes e avançados. A versão padrão deste exercício, exige uma máquina especializada, o que restringe sua execução a academias comerciais ou casas bem equipadas. No entanto, sua variação mais fácil utiliza carga nos tornozelos, tornando possível a execução do exercício em um ambiente domiciliar simples. Esta variação também é uma ótima inclusão para programas de treinamento que enfoquem os isquiotibiais.

como fazer

Deite-se em decúbito ventral na máquina com os joelhos ligeiramente salientes da borda da superfície acolchoada, de forma que as articulações do joelho estejam alinhadas com o eixo de rotação do braço de alavanca. Ajuste o suporte atrás das pernas, logo acima da altura dos tornozelos. Flexione as pernas o máximo possível, em direção aos glúteos. Aguarde dois ou três segundos para retornar lentamente para a posição inicial com os joelhos estendidos. Mantenha a parte superior do corpo em contato com o suporte durante todo o tempo.

variações

FÁCIL Utilize carga nos tornozelos e deite em decúbito ventral em uma caixa rígida ou mesa, com os joelhos para fora da borda. Realize o movimento conforme o exercício padrão. Esta variação não é restrita à condição de academia, mas realmente limita a quantidade de carga a ser levantada.

DIFÍCIL Almeje a fase excêntrica do movimento, uma perna de cada vez. Realize o exercício inicialmente como o movimento padrão, flexionando ambos os joelhos em direção aos glúteos. Então, na fase de retorno, resista ao impulso da carga com apenas uma perna. Complete o número desejado de sobrecarga excêntrica para cada perna.

músculos ativos

❶ Bíceps femoral
❷ Semimembranoso e semitendinoso

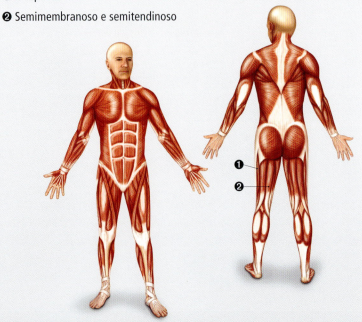

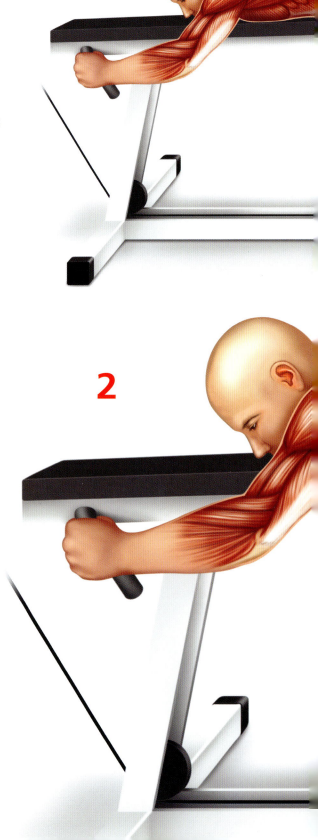

1

2

mesa flexora 121

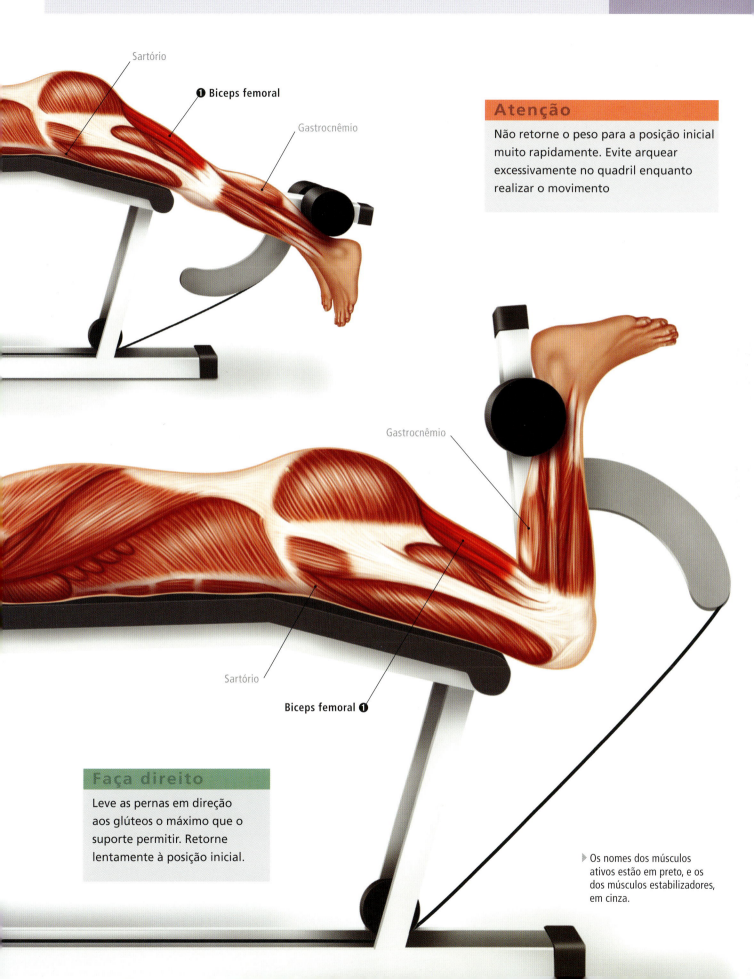

Sartório
❶ Bíceps femoral
Gastrocnêmio

Atenção
Não retorne o peso para a posição inicial muito rapidamente. Evite arquear excessivamente no quadril enquanto realizar o movimento

Gastrocnêmio
Sartório
Bíceps femoral ❶

Faça direito
Leve as pernas em direção aos glúteos o máximo que o suporte permitir. Retorne lentamente à posição inicial.

▶ Os nomes dos músculos ativos estão em preto, e os dos músculos estabilizadores, em cinza.

122 exercícios para os membros superiores e glúteos

Leg Press

Este exercício padrão é uma escolha comum para trabalhar os músculos do quadríceps e glúteo máximo. É uma alternativa popular para praticantes que preferem não usar o exercício de agachamento. O *leg press* é benéfico para qualquer esporte que envolva correr, saltar e chutar. Existe tanto a variação sentada como a deitada, e é apropriado para praticantes iniciantes e avançados. Embora o *leg press* exija uma máquina relativamente cara, também permite o uso de cargas altas para praticantes mais avançados. Para iniciantes, o foco é a utilização da técnica correta. A explicação a seguir se baseia no leg press 45°, que é um equipamento padrão na maioria das academias.

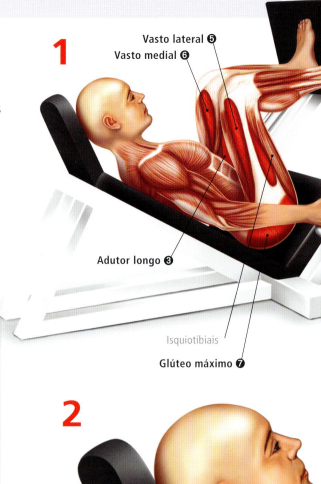

como fazer

Assuma uma posição sentada e inclinada e posicione os pés na plataforma anterior, com os dedos voltados para frente. Aplique uma pressão na plataforma, para tirar o peso e, então, solte as travas de segurança. Abaixe lentamente a carga em direção ao corpo o máximo que for confortável. Empurre as pernas de volta até que estejam completamente estendidas. Após completar um número desejado de repetições, recoloque as travas de segurança e, lentamente, retire a pressão na plataforma.

variações

FÁCIL Realize o exercício padrão, mas abaixe a plataforma até apenas o primeiro um quarto inicial da amplitude de movimento. À medida que a força aumenta, progrida para o exercício padrão, porque esta variação não treina os músculos durante toda a amplitude de movimento.

DIFÍCIL Escolha uma carga que seja leve o suficiente para lentamente abaixar com apenas uma perna em um movimento controlado, mas pesada o suficiente para que exija ambas as pernas para levantá-la novamente. A carga excêntrica aumentada alonga os músculos elevando o estresse nas fibras musculares para nível maior do que é possível se ambas as pernas realizam o movimento de descida juntas. Realize séries em cada perna.

músculos ativos

❶ Adutor curto (sob o Adutor longo)
❷ Vasto intermédio (sob o Reto femoral)
❸ Adutor longo
❹ Adutor magno
❺ Vasto lateral
❻ Vasto medial
❼ Glúteo máximo

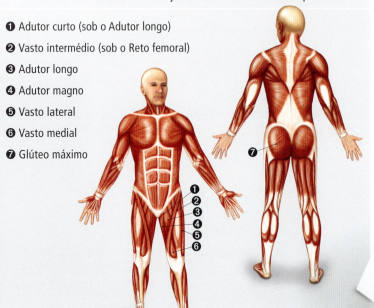

leg press 123

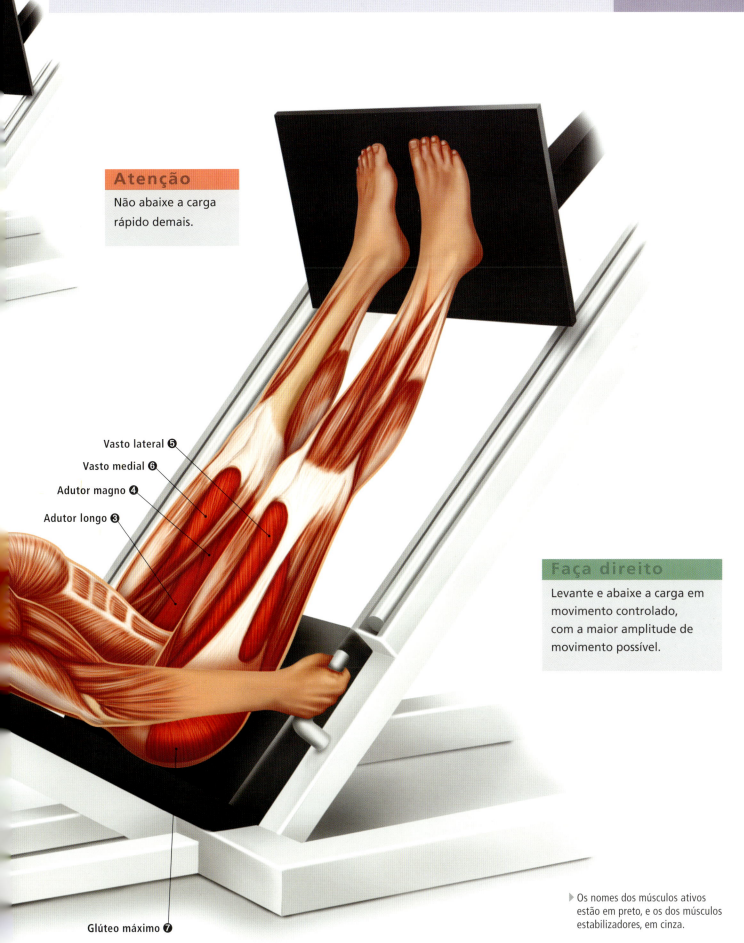

Atenção
Não abaixe a carga rápido demais.

Vasto lateral ❺
Vasto medial ❻
Adutor magno ❹
Adutor longo ❸

Faça direito
Levante e abaixe a carga em movimento controlado, com a maior amplitude de movimento possível.

Glúteo máximo ❼

▶ Os nomes dos músculos ativos estão em preto, e os dos músculos estabilizadores, em cinza.

124 exercícios para os membros inferiores e glúteos

Isquiotibiais Nórdicos
(*Nordic Hamstrings*)

Este exercício de posteriores de coxa é voltado especificamente para desenvolver a força excêntrica do grupo dos músculos isquiotibiais. Use-o para programas de fortalecimento em geral, bem como em condições de reabilitação. O exercício de isquiotibiais nórdicos é também uma escolha popular para esportes que possuem uma alta incidência de lesões nos isquiotibiais – os maiores culpados sendo o futebol e as corridas de velocidade, por causa da contribuição excêntrica momentos antes ou durante o contato do pé no movimento de corrida. Ele é apropriado para praticantes do nível iniciante ao avançado – ajuste amplitude de movimento resistida e a carga externa à condição de treinamento do indivíduo.

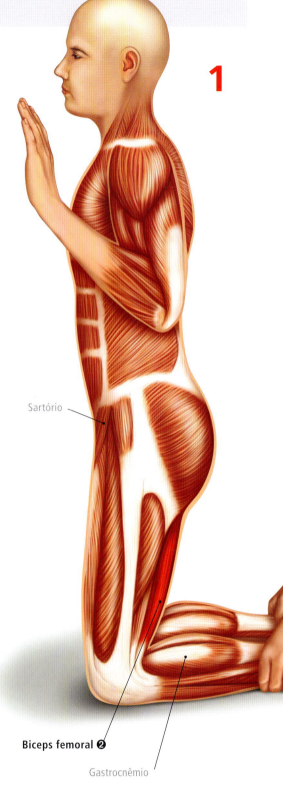

Sartório

Biceps femoral ❷

Gastrocnêmio

como fazer

Ajoelhe-se em uma superfície plana e acolchoada, como um colchonete de abdominal, com as costas alinhadas, mãos no nível do peito, palmas das mãos voltadas à frente. Tenha um ajudante segurando as pernas para baixo. Abaixe lentamente o corpo em direção ao chão em movimento controlado, resistindo à tendência de cair contraindo os músculos isquiotibiais. Não flexione os quadris. No nível do chão, use um movimento de empurrar para cima para retornar à posição inicial. Realize de três a cinco repetições por série.

variações

FÁCIL

Resista com os isquiotibiais apenas até que o movimento para baixo não possa ser controlado. Nesse ponto, relaxe os isquiotibiais e caia livremente no chão, desacelerando o movimento de descida com os braços e as mãos. Complete o número desejado de repetições.

DIFÍCIL

Acrescente carga extra ao corpo segurando uma anilha ou haltere no peito e, então, realize como o exercício padrão. A carga adicional aumenta o estresse nos músculos isquiotibiais, permitindo que um sobrepeso progressivo seja incorporado ao programa de treinamento.

músculos ativos

❶ Semitendinoso
❷ Bíceps femoral
❸ Semimembranoso

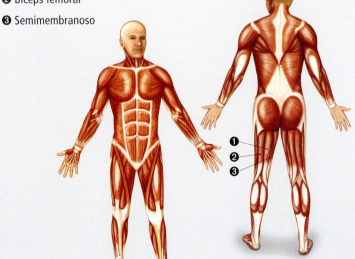

Atenção

Se sentir estresse excessivo nos músculos isquiotibiais, relaxe neste ponto e use os braços e as mãos para interromper a queda.

isquiotibiais nórdicos (nordic hamstrings) 125

2

Faça direito
Abaixe lentamente o máximo possível. Evite movimentos irregulares e não flexione os quadris.

Sartório

❷ **Biceps femoral**

Gastrocnêmio

▸ Os nomes dos músculos ativos estão em preto, e os dos músculos estabilizadores, em cinza.

exercícios para os membros superiores e glúteos

Adução de Quadril

Este exercício de fortalecimento, muitas vezes, é ignorado, especialmente por praticantes do sexo masculino. Ele proporciona um ótimo treino para os músculos adutores, que unem as pernas (adução) e permitem a flexão e a extensão, bem como a rotação medial e lateral do quadril. Isto o torna uma escolha inteligente para o futebol e muitos esportes de quadra, que envolvem mudanças de direção e passos cruzados. Dependendo da variação escolhida, ele pode ser apropriado tanto para casa quanto para ambientes de academia e é indicado para praticantes do nível iniciante ao avançado. Os adutores não são músculos fortes, então, escolha uma carga leve quando realizar este exercício pela primeira vez e progressivamente aumente a carga à medida que os músculos se tornam mais fortes.

como fazer

Sente-se em máquina de adução de quadril, com os suportes acolchoados apoiados na parte interna das pernas. Escolha e configure uma posição inicial com as pernas abertas o máximo que for confortavelmente possível. Aproxime os suportes até que estes se toquem, puxando um em direção ao outro com as pernas. Abra lentamente as pernas, resistindo contra o impulso de retorno da carga para a posição inicial.

variações

FÁCIL

Deite-se no chão e empurre uma perna de cada vez contra uma bola de estabilidade que está fixada em um objeto imóvel, como a outra perna ou uma parede. Mantendo a perna alinhada, tente deformar a bola o máximo possível. Resista lentamente à expansão da bola, à medida que a perna se move para fora, para retornar à posição inicial. Repita para a outra perna.

DIFÍCIL

Posicione-se lateralmente em uma máquina com pesos empilhados, pernas 3 pés (91 cm) separados. Fixe uma correia baixa logo acima do tornozelo da perna mais próxima da máquina. A perna deve estar alinhada e levantada para o lado, seis polegadas (15 cm) do chão, com a outra perna firmemente apoiada no chão. Puxe lentamente a perna levantada em direção à perna apoiada no chão, até que se encontrem.

Faça direito

Controle a velocidade dos movimentos para dentro e para fora. Mantenha as pernas alinhadas durante a realização do exercício.

Atenção

Não use carga excessiva, uma vez que músculos adutores não podem tolerar as mesmas sobrecargas que o quadríceps.

músculos ativos

❶ Pectíneo
❷ Adutor curto (sob o Adutor longo)
❸ Adutor longo
❹ Adutor magno
❺ Grácil

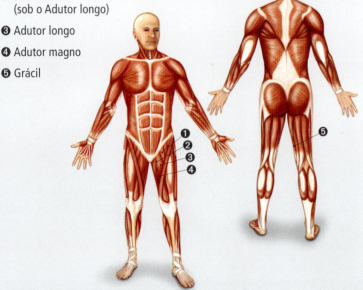

▶ Os nomes dos músculos ativos estão em preto, e os dos músculos estabilizadores, em cinza.

adução de quadril 127

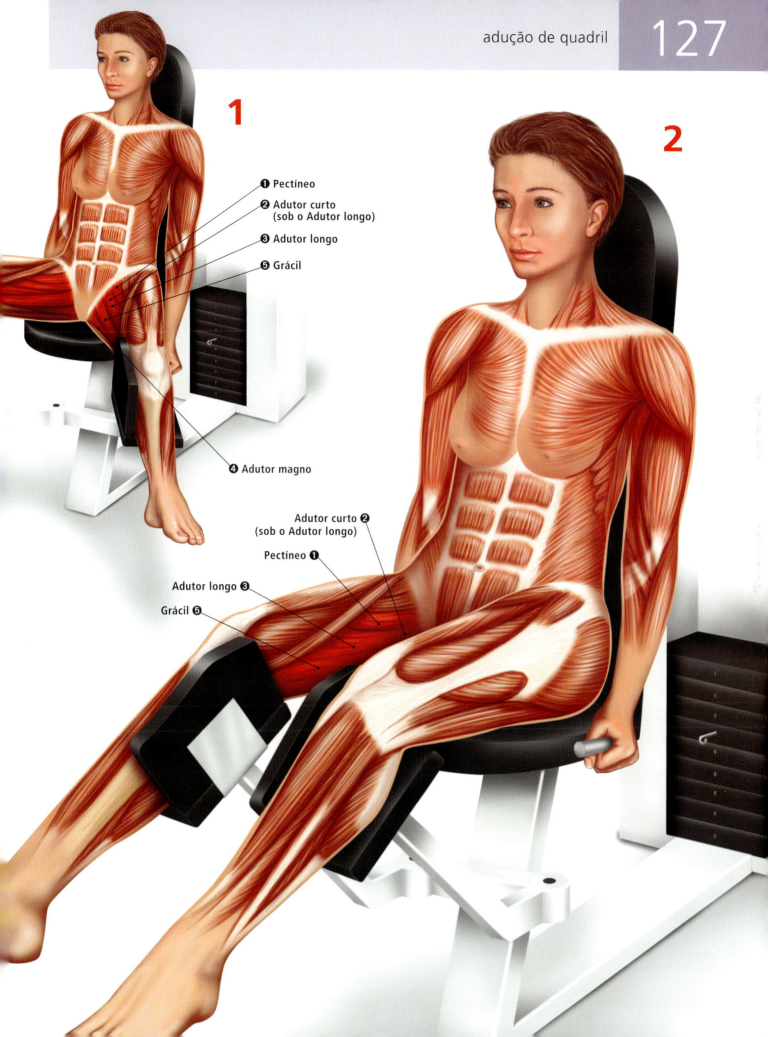

exercícios para os membros superiores e glúteos

Abdução de Quadril

Este exercício constantemente ignorado, especialmente por praticantes do sexo masculino, é efetivo no trabalho dos músculos abdutores do quadril que afastam as pernas uma da outra. Ele é uma boa escolha para programas de treinamento para o equilíbrio, uma vez que fortalece o músculo glúteo médio. Isto também o faz uma escolha popular para treinamentos de esportes específicos e programas de reabilitação ocupacional. Os abdutores não são um grupo muscular forte, portanto, tome cuidado para escolher a carga quando começar a treinar esta área. Este exercício é apropriado para casa ou ambientes de academia, dependendo da variação, e é apropriado para todos os níveis de praticantes.

Faça direito

Mantenha as pernas alinhadas ao longo de todo o exercício. Resista contra o impulso da carga empilhada e retorne lentamente as pernas para a posição fechada.

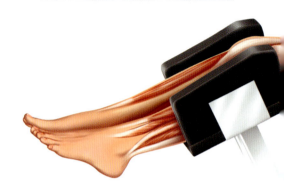

como fazer

Sente-se em máquina de abdução de quadril, com os suportes acolchoados apoiados na parte externa das pernas. Escolha e configure uma posição inicial com as pernas fechadas. Empurre os suportes afastando-os o mais longe possível, então, resista contra a carga à medida que as pernas lentamente fecham para retornar à posição inicial. Complete o número desejado de repetições.

variações

FÁCIL

Coloque uma bola de estabilidade em uma superfície imóvel, como uma parede. Fique de pé ou deite-se com uma das pernas contra a bola e com os pés juntos. Mantenha a perna de apoio imóvel, e aplique uma pressão na bola com a outra perna. Deforme a bola contra a parede à medida que as pernas se afastam, mantendo ambas as pernas alinhadas. Durante a fase de retorno do movimento, resista lentamente à expansão da bola, enquanto a perna é empurrada de volta junto à outra. Repita para a outra perna.

DIFÍCIL

Posicione-se lateralmente em uma máquina com pesos empilhados. Fixe uma correia baixa logo acima do tornozelo da perna mais afastada da máquina. Ambas as pernas devem estar alinhadas e os pés no chão. Levante lentamente para fora a perna com a correia fixada, para longe do corpo, até que o pé esteja dois pés (61 cm) fora do chão. Retorne lentamente o pé ao chão, resistindo o impulso da carga. Repita para a outra perna.

Atenção

Utilize uma carga que permita um movimento suave e controlado. Mantenha a técnica correta evitando qualquer movimento de rotação do quadril.

músculos ativos

❶ Tensor da fáscia lata
❷ Piriforme
❸ Glúteo médio
❹ Glúteo mínimo

(2, 3 e 4 todos sob o Glúteo máximo)

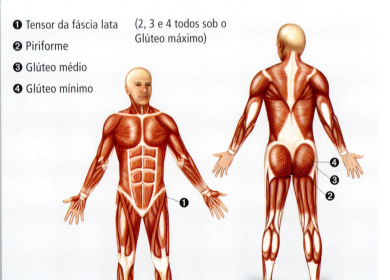

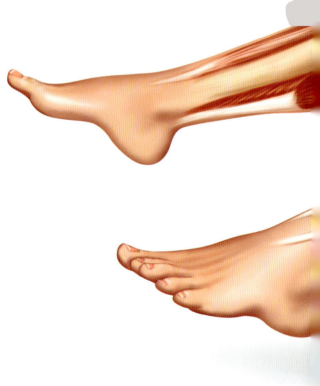

abdução de quadril 129

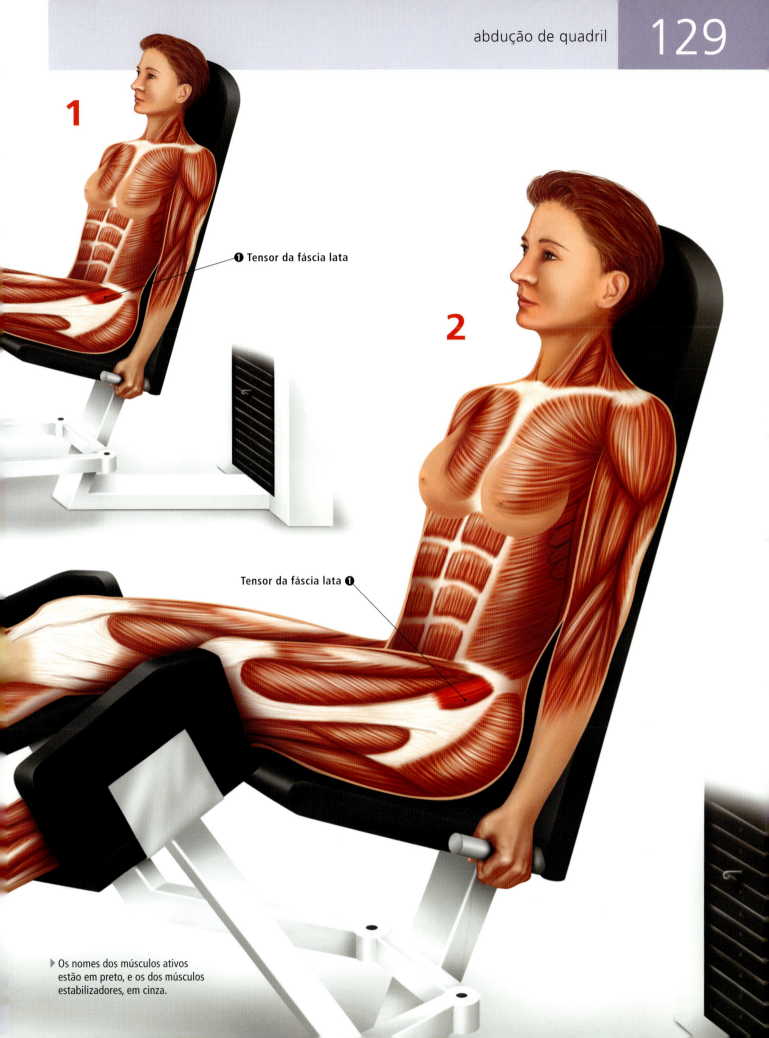

❶ Tensor da fáscia lata

Tensor da fáscia lata ❶

▶ Os nomes dos músculos ativos estão em preto, e os dos músculos estabilizadores, em cinza.

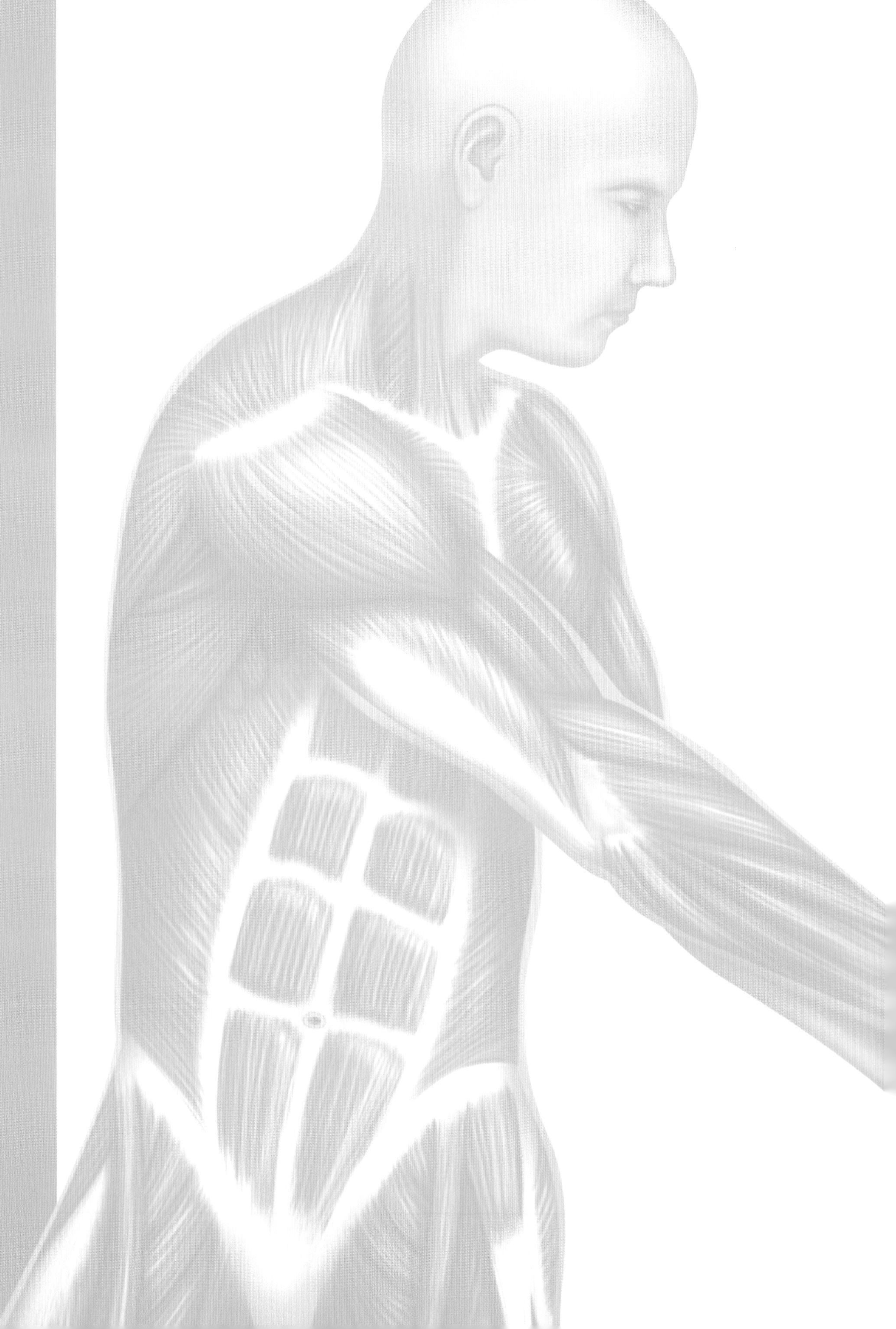

Exercícios para o Tronco

O *core*, uma área vitalmente importante para força, condicionamento e estabilidade, é o foco dos exercícios desta seção. Não confunda o termo "estabilidade do *core*" com força do *core*. Poucas pessoas realmente precisam de fortes músculos de *core* – sua resistência, tônus e capacidade de sustentar uma postura estável enquanto realiza outras atividades é mais importante.

Todos os exercícios se beneficiam da estabilidade do *core* e da resistência da região inferior das costas. Juntas, protegem contra dor lombar – uma das queixas mais comuns na sociedade ocidental. Para atletas, a estabilidade do *core* confere uma base estável para se conseguir lançamentos mais longos e mais fortes, para absorver melhor o impacto corporal, e para manter o equilíbrio.

Técnica correta é essencial para garantir que os exercícios para o tronco sejam seguros e eficazes. Mantenha uma posição de coluna neutra e minimize o uso de músculos acessórios.

Prancha	132
Abdominal	134
Abdominal Cruzado	136
Bicicleta	138
Super-homem	140
Ponte	142
Extensão de Tronco	144
Rotação de Tronco com Polia Baixa	146
Rotação de Tronco com Polia Alta	148
Walkout	150

132 exercícios para o tronco

Prancha

Este exercício de estabilização do *core* é também usado para treinamento de estabilização escapular. Em vez de aumentar a força, a prancha desenvolve resistência e estabilidade. Em particular, aumenta a resistência dos músculos lombares, abdominais, dos ombros e do quadril. O objetivo é manter a posição pelo maior tempo possível, dependendo do grau de condicionamento. O atual recordista mundial manteve a posição da prancha por mais de uma hora! Este exercício é ideal para esportes nos quais os atletas devem permanecer estáveis ou rígidos ao executarem uma tarefa, como ginástica e mergulho, ou esportes nos quais o contato físico deve ser absorvido ou revidado. Use a prancha em programas de reabilitação do ombro, precoce e moderada, e como precursor para executar uma flexão de braços.

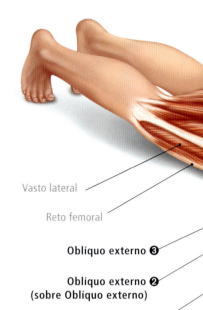

Vasto lateral
Reto femoral
Oblíquo externo ❸
Oblíquo externo ❷ (sobre Oblíquo externo)
Reto abdominal ❶

como fazer

Comece deitando de barriga para baixo no chão, com os cotovelos flexionados, as mãos fechadas e colocadas bem na direção dos ombros, e os pés apoiados sobre os dedos. Empurre todo o corpo para cima de modo que fique apoiado sobre os antebraços e os dedos dos pés. Permaneça olhando para baixo, com os ombros para trás, e assegure-se de que as costas estejam retas. O corpo deve ficar plano, desde a cabeça até o calcanhar. Mantenha a posição por, no mínimo, 15 segundos. Trabalhe para aumentar o tempo em que a posição é mantida.

variações

FÁCIL Mantenha os joelhos no chão, em vez de se apoiar sobre os dedos dos pés se não tiver a força ou resistência na parte superior do corpo para manter a prancha. Assegure-se de que o corpo fique plano da cabeça aos joelhos.

DIFÍCIL Levante um pé do chão por cinco segundos de cada vez. Isso trabalha os músculos oblíquos e glúteo, porque são acionados para resistir à rotação e manter a perna no ar. Para um exercício de prancha avançado, tente a "prancha lateral". Mova-se do lado esquerdo para o centro e para o lado direito, mantendo cada posição por 30-60 segundos.

músculos ativos

❶ Reto abdominal
❷ Oblíquo interno (sob o Oblíquo externo)
❸ Oblíquo externo

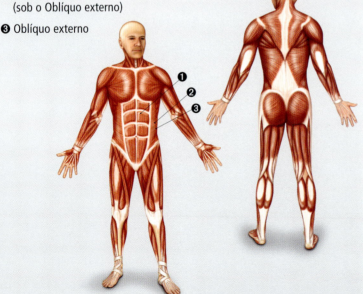

2

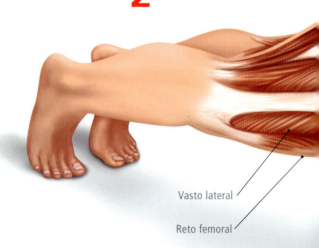

Vasto lateral
Reto femoral

Faça direito

Use um espelho quando fizer esse exercício pela primeira vez, para garantir o posicionamento correto.

prancha 133

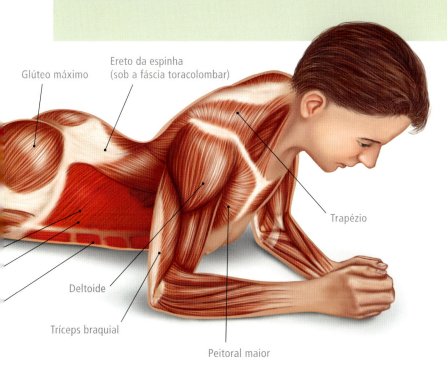

1

Atenção
Não arqueie a parte inferior das costas. Se os músculos abdominais estiverem fracos, comece com a variação fácil e trabalhe a resistência.

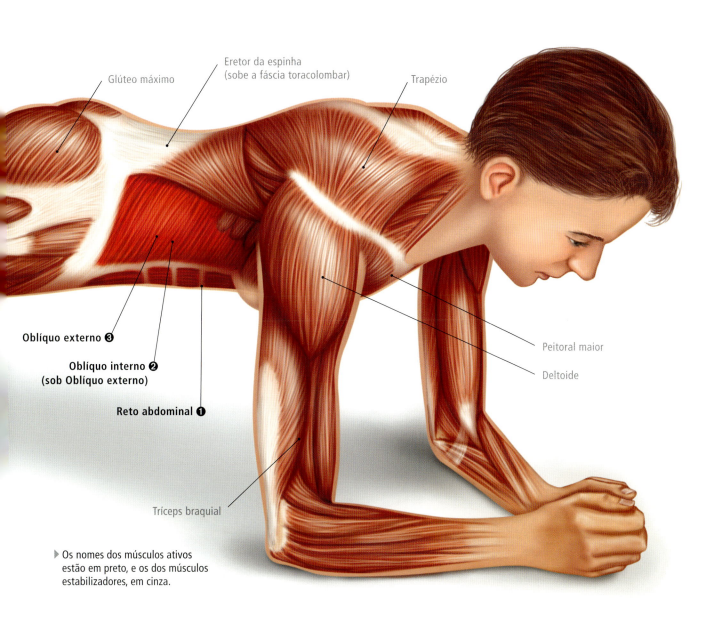

▶ Os nomes dos músculos ativos estão em preto, e os dos músculos estabilizadores, em cinza.

Abdominal

Esse exercício abdominal clássico tem sido realizado milhares de vezes. Entretanto, um frequente conceito errôneo é que ele ajuda a perder o excesso de gordura em torno da cintura. Isso não é verdade, porque o abdominal não é um exercício que queima gordura; ao contrário, é um exercício de força e resistência para o reto abdominal, os oblíquos interno e externo, o psoas e o ilíaco. Na posição de contração (curvada), os músculos da região inferior das costas são alongados, e os glúteos, os quadríceps, os adutores e os isquiotibiais ajudam a estabilizar a metade inferior do corpo. O abdominal não requer nenhum equipamento especial, de modo que pode ser realizado em qualquer lugar, e é ótimo para rotinas de exercícios em casa ou onde o praticante estiver.

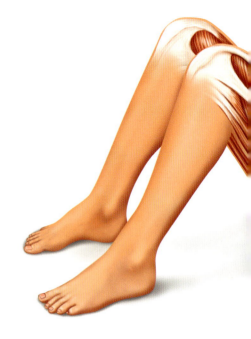

como fazer

Deite-se de costas, com joelhos e quadris flexionados, e pés apoiados no chão. Cruze os braços sobre o peito com as mãos retas sobre os ombros opostos, ou para uma opção um pouco mais difícil, coloque as mãos levemente ao lado da cabeça. Contraia os músculos abdominais para levantar do chão a cabeça, os ombros e a escápula. Lentamente, abaixe as costas para a posição inicial.

variações

FÁCIL
Peça ajuda a uma pessoa para segurar os tornozelos ou prenda os pés sob um objeto sólido estacionário, como um banco ou armário, se os abdominais não tiverem a força e a potência necessárias para fazer esse exercício sem ajuda. Contraia completamente os abdominais, e não empurre para cima com os pés ou as pernas, porque isso reduz a eficácia do exercício.

DIFÍCIL
Estenda os cotovelos para trás, acima da cabeça, ou segure um peso acima da cabeça para realmente exigir dos músculos abdominais. Essas variações também fazem trabalhar mais os estabilizadores dos membros inferiores, para manter os pés no chão. Entretanto, assegure-se de que a técnica correta não seja comprometida.

músculos ativos

❶ Reto abdominal
❷ Oblíquo interno (sob o Oblíquo externo)
❸ Oblíquo externo

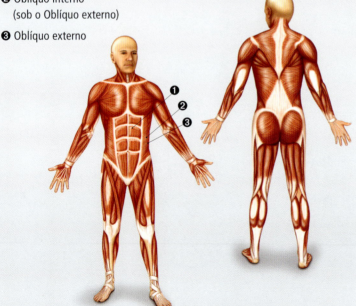

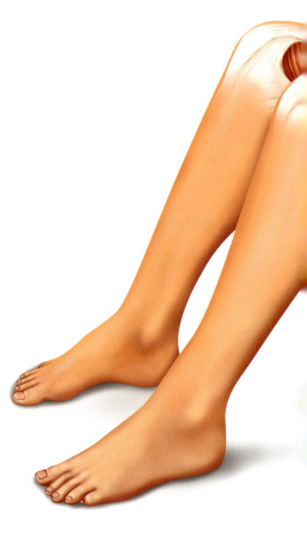

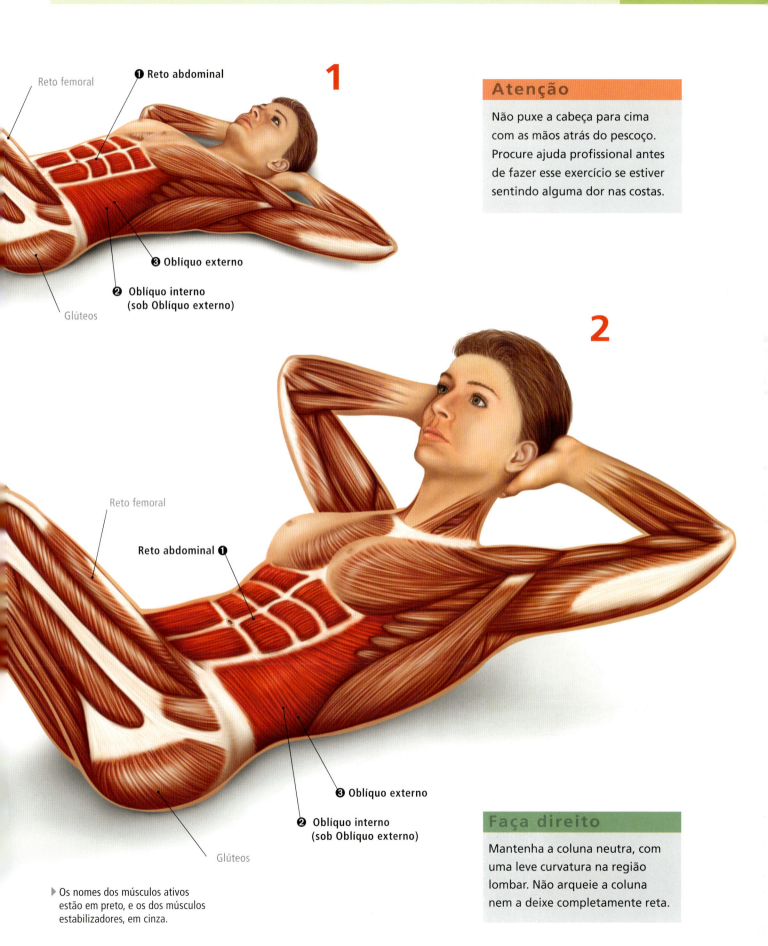

136 exercícios para o tronco

Abdominal Cruzado

Essa versão do exercício aumenta o desafio por exigir maior amplitude de movimento e por adicionar um componente de rotação ao abdominal padrão. Além disso, tem como alvos uma porção maior dos músculos oblíquos interno e externo e exige mais dos estabilizadores secundários. O abdominal cruzado pode ser usado como uma etapa para chegar ao exercício de bicicleta, porque o movimento é semelhante, mas exige menos dos músculos da perna e dos estabilizadores da coluna. Assim como o abdominal padrão, esse exercício é versátil e pode ser executado em qualquer lugar, uma vez que não requer nenhum equipamento especial.

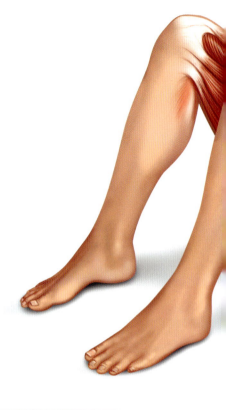

como fazer
Deite de costas, com joelhos e quadris flexionados, pés apoiados no chão e mãos levemente ao lado da cabeça. Contraia os músculos abdominais para levantar do chão a cabeça, os ombros e a escápula, enquanto roda para o lado direito. Ao mesmo tempo, levante a perna esquerda de modo que o cotovelo direito e o joelho esquerdo se toquem acima do peito. Lentamente, retorne à posição inicial e repita com braço e perna alternados.

variações

FÁCIL — Esqueça o movimento da perna e concentre-se apenas em levantar e rodar a metade superior do corpo, se não tiver a força ou a resistência para executar o exercício padrão de maneira suave e controlada. Essa variação minimiza o trabalho abdominal e diminui a importância dos estabilizadores secundários.

DIFÍCIL — Execute o exercício em um banco inclinado, com a cabeça mais baixa que os pés. Essa posição aumenta a resistência simplesmente por aumentar a força gravitacional. Para aumentar ainda mais a resistência, segure um peso por trás da cabeça.

Faça direito
Assegure-se de sentir a "tonificação" quando contrai os abdominais. Não empurre para cima com os braços ou as pernas.

músculos ativos
❶ Reto abdominal
❷ Oblíquo interno
 (sob Oblíquo externo)
❸ Oblíquo externo

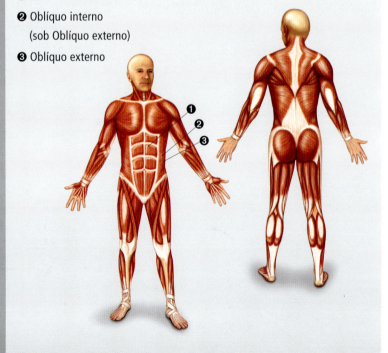

abdominal cruzado 137

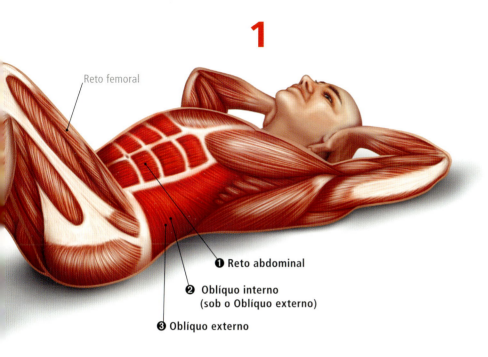

❶ Reto abdominal
❷ Oblíquo interno (sob o Oblíquo externo)
❸ Oblíquo externo

Atenção
Não empurre a cabeça para cima por trás do pescoço. Assegure-se de que o movimento seja lento e controlado para garantir que o exercício seja o mais seguro e eficaz possível.

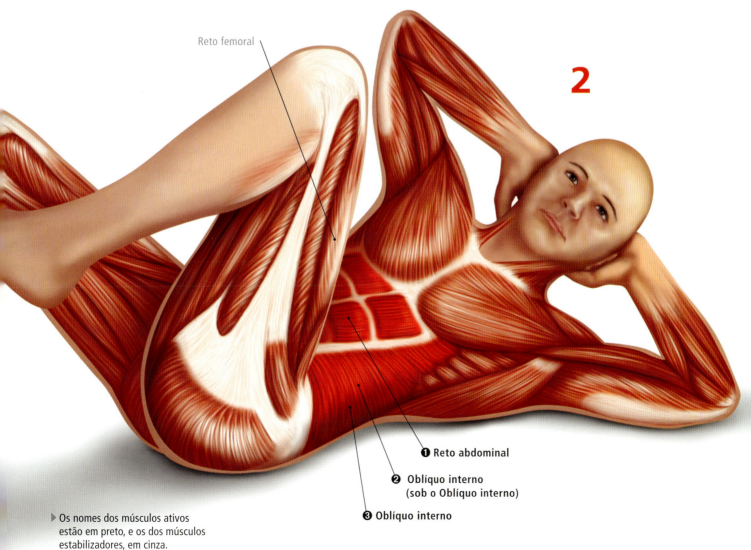

❶ Reto abdominal
❷ Oblíquo interno (sob o Oblíquo interno)
❸ Oblíquo interno

▶ Os nomes dos músculos ativos estão em preto, e os dos músculos estabilizadores, em cinza.

138 exercícios para o tronco

Bicicleta

Esse exercício avançado trabalha muito o reto abdominal. De fato, em um estudo da San Diego State University, que mediu a ativação muscular, ficou em primeiro lugar em comparação com todos os exercícios abdominais comuns para ativação do reto. A bicicleta também se destacou na ativação dos oblíquos, tornando-se um dos modos mais eficazes de exercitar os músculos abdominais superficiais. A definição desses músculos resulta no aspecto de "seis gomos" que tantos atletas desejam. Use a bicicleta como um exercício avançado de estabilidade do *core*, mas só depois que os músculos profundos do *core* tiverem sido efetivamente treinados. Manter a coluna neutra enquanto se levanta e movimenta as pernas exige muito dos músculos.

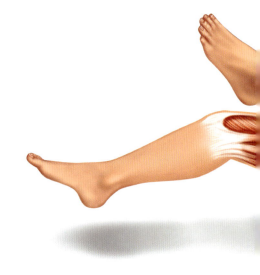

como fazer

Deite de costas no chão, com a parte inferior das costas pressionadas sobre o chão. Depois contraia os músculos do *core*. Segurando a cabeça levemente com as mãos, levante os joelhos até um ângulo de 45°. Mova as pernas em um movimento de pedal de bicicleta, e alternadamente toque com o cotovelo o joelho oposto, ao mesmo tempo em que faz a rotação para trás e para frente. Respire regularmente durante todo o exercício.

variações

FÁCIL
A parte mais desafiadora da bicicleta é manter a estabilidade quando o joelho está completamente estendido. Se achar difícil manter a forma correta, mantenha os joelhos levemente flexionados ao longo de todo o exercício ou uma posição de coluna neutra.

DIFÍCIL
Tente uma "bicicleta sentada". Sente-se e incline levemente para trás para fazer os estabilizadores do *core* começarem a trabalhar mesmo antes de o movimento começar. Estenda os joelhos e levante ambos os calcanhares do chão. Execute a ação do pedal de bicicleta e movimente os cotovelos opostos para os joelhos. Para tornar esse exercício ainda mais desafiador, toque com o lado de fora do cotovelo o lado de fora do joelho.

Faça direito

Ao longo de todo o exercício, empurre os músculos abdominais profundos em direção à coluna e mantenha uma posição de coluna neutra.

músculos ativos

❶ Reto abdominal
❷ Oblíquo interno (sob Oblíquo externo)
❸ Oblíquo externo

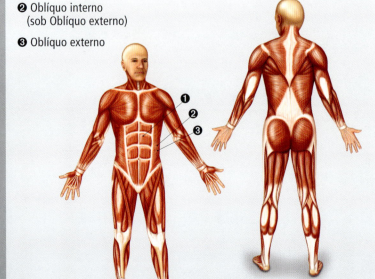

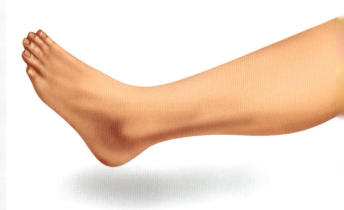

▶ Os nomes dos músculos ativos estão em preto, e os dos músculos estabilizadores, em cinza.

bicicleta 139

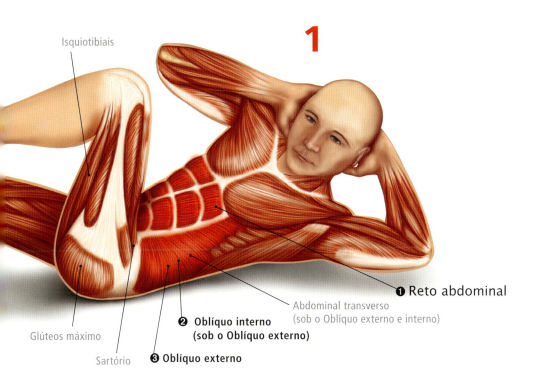

Atenção
Mantenha o queixo afastado do peito e relaxe o pescoço.

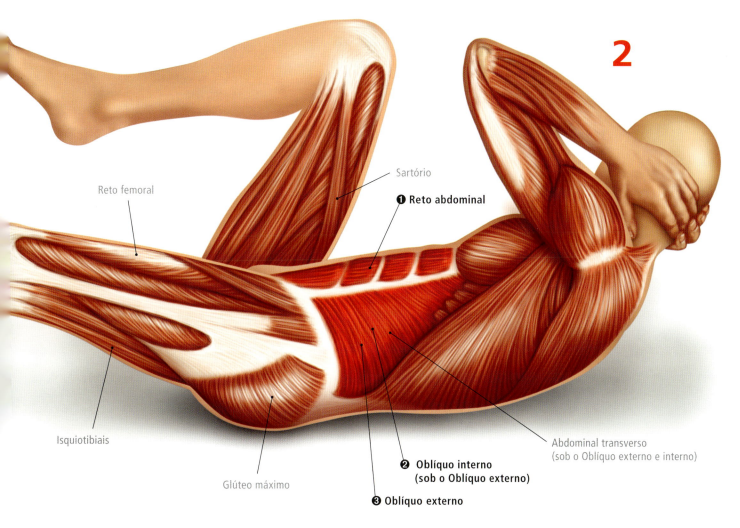

140 exercícios para o tronco

Super-homem

Este exercício de estabilidade do *core* é também chamado de "bird dog"*, porque a posição se move entre ficar em quatro apoios e estender cotovelos e joelhos. Trabalha predominantemente o *core* posterior, que é composto pelos oblíquos, o eretor da coluna, os multífidos e os glúteos. O super-homem desenvolve força e estabilidade na região do pescoço e dos ombros por aumentar a resistência do extensor e por estimular estabilidade rotacional. Boa resistência do extensor lombar é essencial para proteger ador na região inferior das costas, e estabilidade rotacional é importante em muitos esportes, especialmente esportes de tacos e raquetes. O super-homem não requer qualquer equipamento especial – é um exercício de solo ou *mat* e, como tal, pode facilmente ser parte de uma rotina de casa ou academia.

* "Bird dog" refere-se ao cachorro especializado em caçar e buscar aves para seus donos.

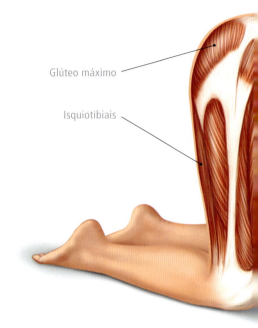

Glúteo máximo

Isquiotibiais

como fazer

Ajoelhe-se no chão, com as mãos colocadas em frente do corpo, mais ou menos na largura dos ombros. Movimente a pelve para trás e para frente para encontrar a posição de coluna neutra. Nessa posição, contraia os abdominais e levante uma mão e o joelho oposto, apenas saindo do chão, e equilibrando sobre a outra mão e o outro joelho. Uma vez confortavelmente estável, estenda completamente o cotovelo e joelho. Tente manter um plano da mão até o pé. Mantenha a posição por cerca de dez segundos. Retorne para a posição inicial e estenda o lado oposto.

variações

FÁCIL Caso considere difícil estabilizar-se com o joelho e cotovelos estendidos, mantenha ambas as mãos no chão e estenda apenas uma perna de cada vez.

DIFÍCIL Comece sobre mãos e dedos dos pés, em vez de mãos e joelhos, para um exercício avançado. Estabilizadores dos ombros, estabilizadores do *core* e isquiotibiais terão todos de trabalhar mais intensamente em virtude do segmento mais longo que está sendo estabilizado e à menor área de superfície de contato nessa variação.

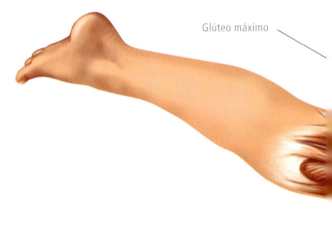

Glúteo máximo

Isquiotibiais

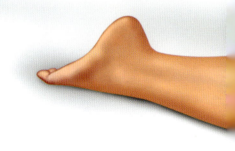

músculos ativos

❶ Reto abdominal
❷ Oblíquo interno (sob o Oblíquo externo)
❸ Oblíquo externo

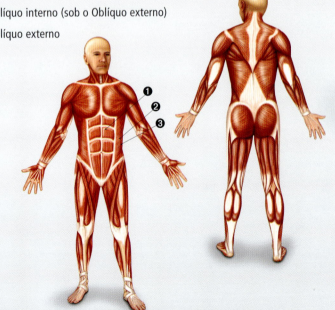

super-homem

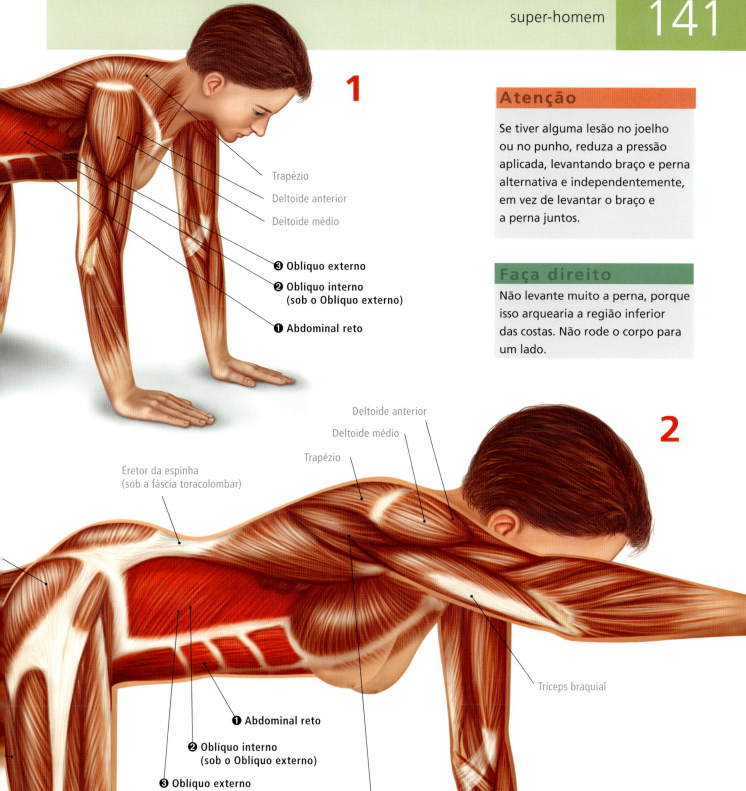

1

Trapézio
Deltoide anterior
Deltoide médio

❸ Oblíquo externo
❷ Oblíquo interno (sob o Oblíquo externo)
❶ Abdominal reto

Atenção
Se tiver alguma lesão no joelho ou no punho, reduza a pressão aplicada, levantando braço e perna alternativa e independentemente, em vez de levantar o braço e a perna juntos.

Faça direito
Não levante muito a perna, porque isso arquearia a região inferior das costas. Não rode o corpo para um lado.

2

Deltoide anterior
Deltoide médio
Trapézio
Eretor da espinha (sob a fáscia toracolombar)

❶ Abdominal reto
❷ Oblíquo interno (sob o Oblíquo externo)
❸ Oblíquo externo

Tríceps braquial

Redondo menor e infraespinoso (partes do manguito rotador)

▸ Os nomes dos músculos ativos estão em preto, e os dos músculos estabilizadores, em cinza.

142 exercícios para o tronco

Ponte

Este exercício de fortalecimento tem como alvos os glúteos, os isquiotibiais, os músculos abdominais e da região inferior das costas. É um excelente exercício de reabilitação para dor lombar e estabilidade do *core*. Pouca resistência dos músculos da região inferior das costas é um dos fatores de risco mais perigosos para se desenvolver dor nessa região. Em resposta, a ponte mostrou ser um dos modos mais eficazes de ativar e fortalecer os músculos da região inferior das costas, como o multífido e o eretor da espinha. Use este exercício como uma medida preventiva, ou como parte de um programa de treinamento, quando estiver se recuperando de uma lesão. Existem muitas variações da ponte, de modo que o exercício pode progredir de formas fáceis para avançadas. Requer pouco equipamento e é, portanto, fácil de ser praticado na maioria dos ambientes.

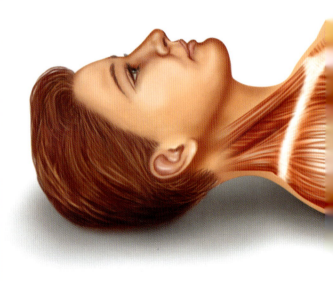

como fazer
Deite de costas com as mãos ao lado do corpo, os joelhos flexionados e os pés apoiados no chão. Contraia os músculos abdominais e glúteos, pressione os calcanhares e levante o quadril para criar um plano dos joelhos aos ombros. Mantenha os músculos do *core* contraídos e não deixe nem o quadril cair nem as costas arquearem. Mantenha a posição por 20-30 segundos. Quando os músculos começarem a entrar em fadiga, baixe lentamente para a posição inicial.

variações

FÁCIL
Dependendo dos níveis de condicionamento individuais, levante o quadril apenas um pouco do chão, até que a força do corpo se desenvolva, e mantenha a posição padrão por menos tempo.

DIFÍCIL
Tente uma "ponte com uma perna". Execute o exercício como descrito na versão padrão, mas comece com apenas um joelho flexionado, mantendo a outro completamente estendido. Empurre para cima com a perna flexionada e procure atingir um plano dos ombros até o pé da perna estendida. Resista à tendência de rotacionar o corpo; mantenha os quadris retos, e não faça torção para um lado.

Atenção
Cair subitamente da posição levantada pode levar a parte baixa da coluna a bater, e causar dor ou lesão.

músculos ativos

❶ Eretor da espinha
❷ Multífido (sob o Eretor da espinha)
❸ Reto abdominal
❹ Oblíquo interno (sob o Oblíquo externo)
❺ Oblíquo externo
❻ Glúteo máximo

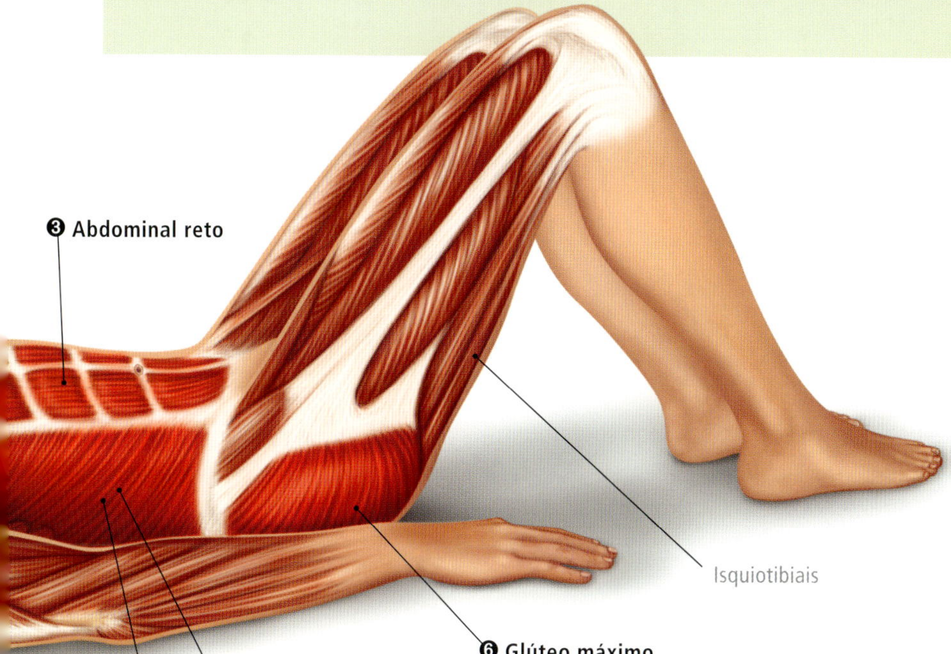

ponte 143

❸ Abdominal reto

Isquiotibiais

❻ Glúteo máximo

❹ Oblíquo interno
(sob o Oblíquo externo)

❺ Oblíquo externo

Faça direito

Mantenha o *core* firme, empurrando o umbigo para dentro, em direção à coluna.

2

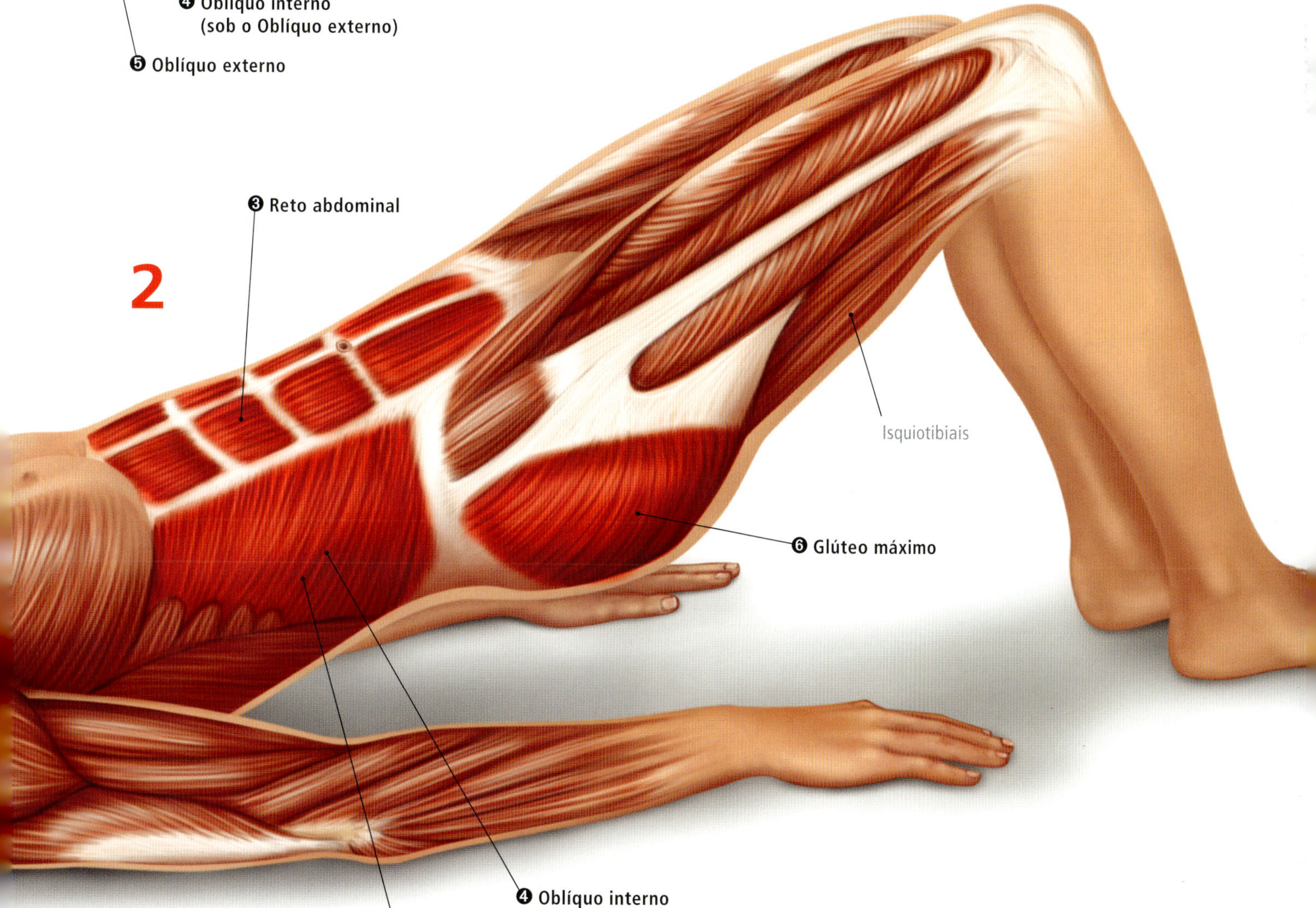

❸ Reto abdominal

Isquiotibiais

❻ Glúteo máximo

❹ Oblíquo interno
(sob o Oblíquo externo)

❺ Oblíquo externo

▸ Os nomes dos músculos ativos estão em preto, e os dos músculos estabilizadores, em cinza.

Extensão de Tronco

Este exercício, que usa o peso corporal, alonga e fortalece os músculos da parte inferior das costas. Geralmente é realizado em academia de ginástica ou em uma máquina de extensão de tronco. Na posição mais baixa, o eretor da espinha, o quadrado lombar e a fáscia toracolombar são alongados. Depois, quando o corpo é levantado, os músculos das costas e os isquiotibiais devem se contrair. Use a extensão do tronco para complementar os exercícios abdominais de pequena e grande amplitude de movimento e equilibrar a região central do corpo. Muitas pessoas fazem abdominais e exercícios para a parte superior do corpo, mas negligenciam os músculos da parte inferior das costas. Lembre-se que a força e a resistência desses músculos são essenciais para proteger contra o desenvolvimento de dor lombar.

Atenção

Mesmo a variação fácil deste exercício exige da parte inferior da coluna. Caso sinta alguma dor enquanto faz o movimento, pare.

como fazer

Use uma máquina de extensão do tronco e posicione os suportes para ficarem embaixo das coxas e sobre as panturrilhas. Ajuste o comprimento para apoiar os quadris e pelve, mas certifique-se de que a parte superior do corpo não seja sustentada. Comece em uma posição neutra ou levemente hiperestendida, depois abaixe o corpo, flexionando o tronco no nível da cintura. Abaixe o máximo que a flexibilidade das costas e dos isquiotibiais permita. Levante e retorne à posição inicial.

variações

FÁCIL

Deite-se em decúbito ventral no chão, em vez de usar uma máquina de extensão das costas. Coloque as mãos atrás das costas e arqueie para trás, levantando a cabeça, o pescoço, os ombros e o tórax do chão. Essa variação ainda trabalha os mesmos músculos da forma padrão, sem depender da máquina de extensão das costas.

DIFÍCIL

Quando for capaz de completar confortavelmente três séries de 10-12 repetições levantando seu próprio peso corporal, tente uma extensão de tronco com mais carga. Pegue uma anilha e segure-a contra o peito enquanto faz o movimento. Por segurança, coloque a anilha no chão ao final dos exercícios, antes de desmontar a máquina.

músculos ativos

❶ Eretor da espinha
❷ Multífido
❸ Quadrado lombar

(1, 2 e 3 todos sob a fáscia toracolombar)

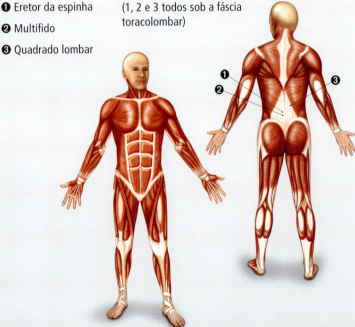

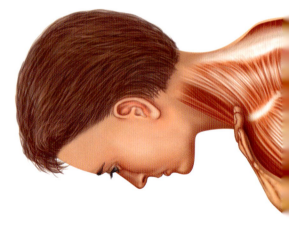

Faça direito

Não balance ou oscile no final das posições; faça um movimento contínuo e suave.

extensão de tronco 145

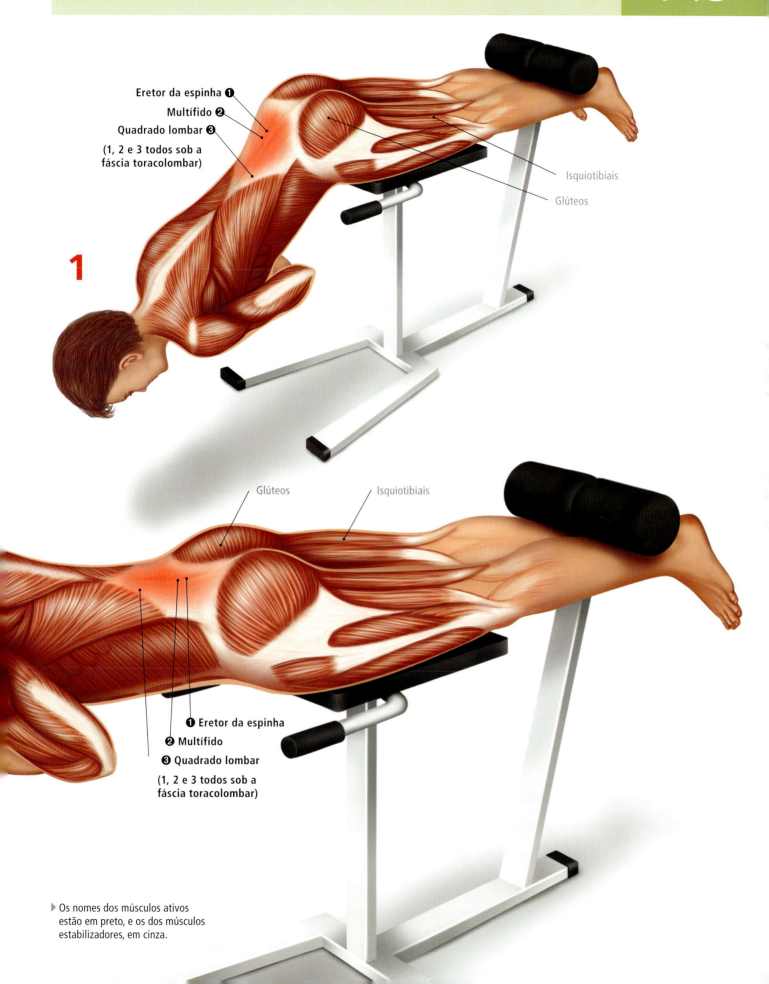

▶ Os nomes dos músculos ativos estão em preto, e os dos músculos estabilizadores, em cinza.

Rotação de Tronco com Polia Baixa

Esse exercício de facilitação neuromuscular proprioceptiva (FNP) incorpora movimentos complexos multidirecionais que envolvem tanto os membros superiores como os inferiores. É frequentemente usado conjuntamente com a rotação de tronco com polia alta. O exercício de FNP compreende movimentos de extensão e rotação, que fortalecem a rotação e a parte superior do tronco, o tórax, os ombros e os braços. Pode ser executado em máquinas com polias e cabos, com faixas de elástico resistente ou com uma *medicine ball*. Como todos os exercícios de estabilidade do *core*, o objetivo não é levantar o maior peso, mas sim manter a forma perfeita durante toda a série. Adicione a rotação de tronco aos estágios mais tardios de programas de reabilitação após lesão e use-a para o treinamento para esportes específicos. Este exercício é perfeito para esportes de raquete e taco, especialmente golfe.

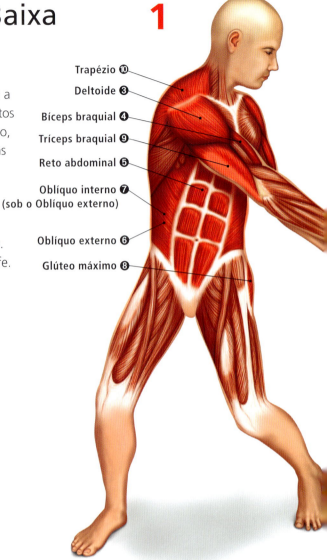

- Trapézio ❿
- Deltoide ❸
- Bíceps braquial ❹
- Tríceps braquial ❾
- Reto abdominal ❺
- Oblíquo interno ❼ (sob o Oblíquo externo)
- Oblíquo externo ❻
- Glúteo máximo ❽

como fazer

A posição inicial pode variar: ajoelhado, ajoelhado com uma das pernas, sentado sobre uma bola de estabilidade ou em pé. Entretanto, o padrão de movimento é sempre o mesmo: de baixo para cima; levantamento com as duas mãos; começando com um movimento de puxar que se move pela linha média do corpo e terminando com um movimento de empurrar. Para o levantamento em pé, fique de lado ou ligeiramente de frente e pegue a alça do cabo com ambas as mãos de um lado do corpo, na altura abaixo dos joelhos. Levante, com o braço superior ou que está cruzando o braço dominante, rode e estenda com o tronco, e depois empurre completamente para cima com o mesmo braço, de modo que o movimento acabe no outro lado do corpo, com as mãos acima da altura dos ombros. Lentamente, abaixe para a posição inicial. Execute séries de exercícios da direita para a esquerda e, depois, da esquerda para a direita.

variações

FÁCIL Fique em pé com as pernas bem afastadas ou em afastamento anteroposterior para dar maior base de apoio para o corpo e conseguir maior estabilidade nas pernas.

DIFÍCIL Fique em pé sobre uma perna para diminuir a estabilidade fornecida pelas pernas e coloque todo o foco do exercício nos músculos do *core*.

músculos ativos

❶ Eretor da espinha
❷ Multífido (sob o Eretor da coluna)
❸ Deltoide
❹ Bíceps braquial
❺ Reto abdominal
❻ Oblíquo externo
❼ Oblíquo interno (sob o Oblíquo externo)
❽ Glúteo máximo
❾ Tríceps braquial
❿ Trapézio

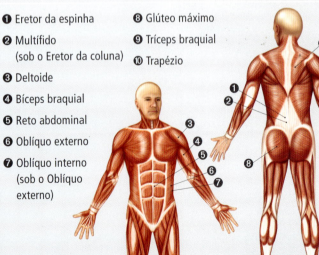

Atenção

Não tente progredir nesse exercício muito rapidamente. O mais importante é a forma e a técnica. Excesso de peso muito rapidamente pode levar a lesões.

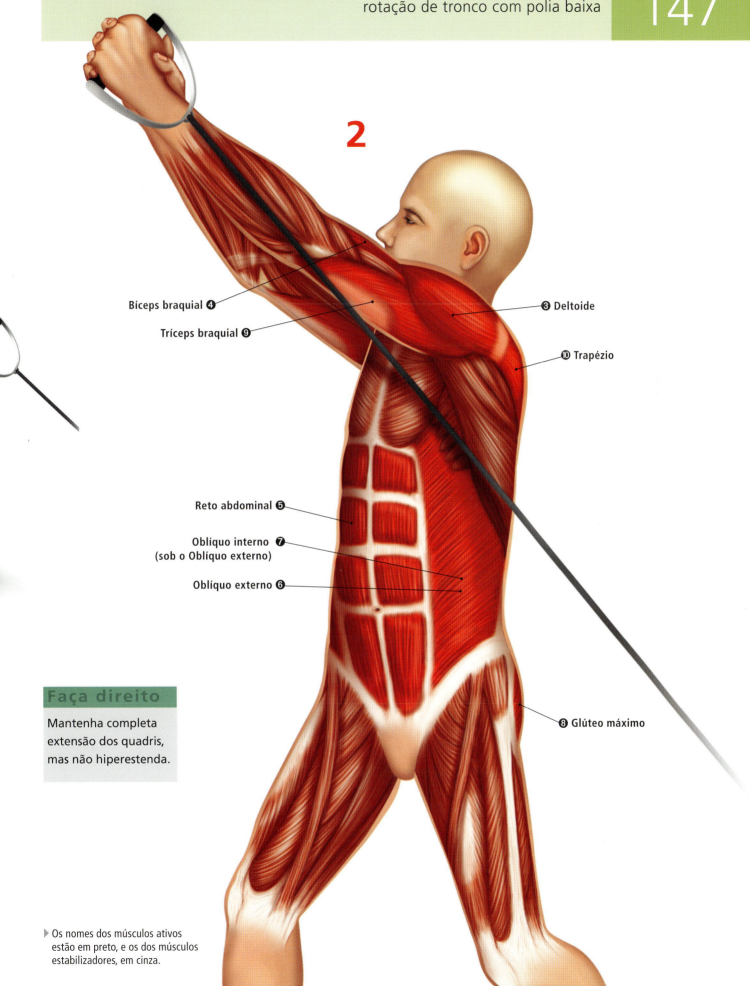

148 exercícios para o tronco

Rotação de Tronco com Polia Alta

Esse exercício, companheiro da rotação de tronco com polia baixa, é essencialmente uma imagem no espelho deste exercício, só que, desta vez, o movimento é de cima para baixo. Em virtude da vantagem mecânica que o exercício com polia alta tem, a maioria das pessoas será capaz de levantar um terço a mais de peso neste exercício, em comparação com o realizado com polia baixa. Quando se considera esquerda e direita, a combinação de rotação de tronco com polia alta e baixa tem como alvos os quatro quadrantes do *core*. Um fisioterapeuta experiente pode testar especificamente a força de cada quadrante, para determinar se um cliente deve dar mais atenção a uma área primeiro ou treinar os quatro imediatamente.

como fazer

A posição inicial pode variar entre ajoelhado, sentado e em pé. Pegue a alça com a palma de uma mão voltada para baixo e a outra voltada para cima. O movimento desse exercício é sempre de cima para baixo, começando com um movimento de puxar, no qual o braço cruzado atravessa a linha média do corpo, terminando com um movimento de empurrar do outro braço. Escolha um peso inicial que cause fadiga ou perda da posição estável após 6-12 repetições. Tente corrigir a posição e continuar quando começar a perder a base estável. Se for incapaz de manter a forma e a postura, pare o exercício. Repita do lado oposto.

variações

FÁCIL Comece com os pés bem afastados e os joelhos ligeiramente flexionados. Quanto maior a estabilidade conferida pelas pernas, menos se exige do *core*. Use cordas elásticas para fazer esse exercício em casa ou em viagens, para continuar o treinamento de resistência, quando for incapaz de ir à academia.

DIFÍCIL Ajoelhe-se sobre uma bola de estabilidade para um grande desafio! O uso da bola incorpora uma superfície instável, e pela adição de movimentos rotacionais, só aqueles de nível extremamente elevado de estabilidade do *core* serão capazes de manter essa variação sob controle.

músculos ativos

❶ Deltoide
❷ Bíceps braquial
❸ Reto abdominal
❹ Oblíquo interno (sob o Oblíquo interno)
❺ Oblíquo externo
❻ Glúteo máximo
❼ Multífido (sob o Eretor da coluna)
❽ Eretor da coluna
❾ Tríceps braquial
❿ Trapézio

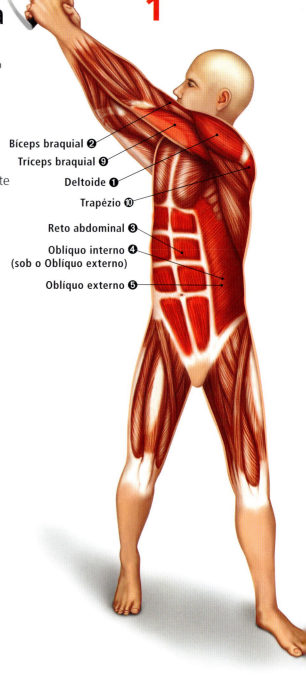

Bíceps braquial ❷
Tríceps braquial ❾
Deltoide ❶
Trapézio ❿
Reto abdominal ❸
Oblíquo interno ❹ (sob o Oblíquo externo)
Oblíquo externo ❺

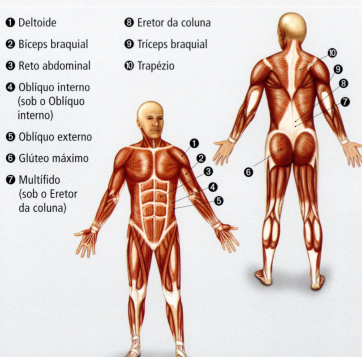

Atenção

Não ajoelhe ou fique em pé sobre uma bola de estabilidade, a menos que esteja bem treinado e completamente confortável nessa posição.

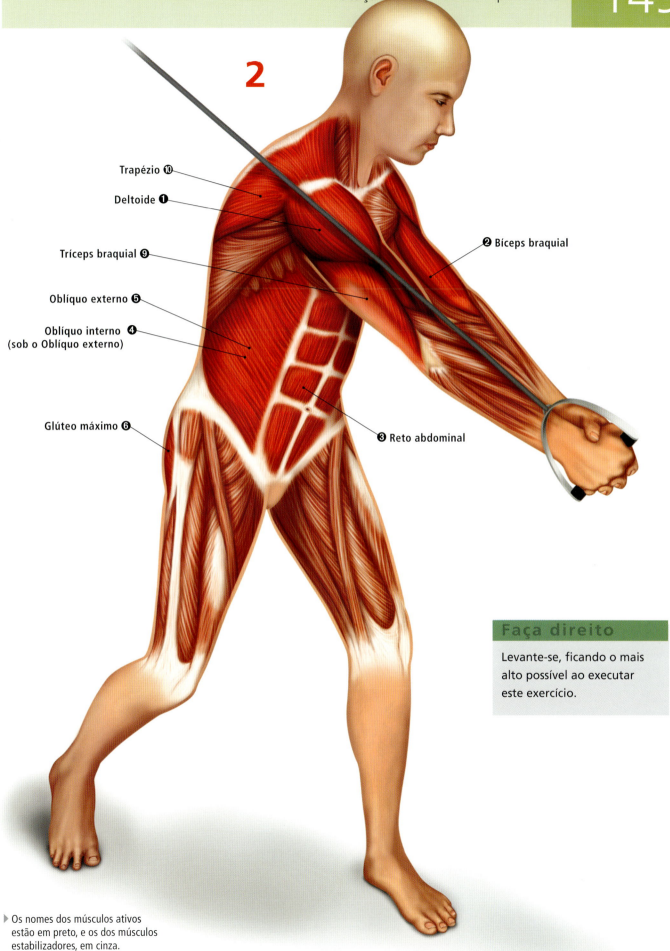

Walkout

Este exercício na bola de estabilidade trabalha tanto a musculatura abdominal como das costas. O uso da bola de estabilidade força múltiplos grupos musculares a se ativarem à medida que o corpo se esforça para manter o equilíbrio sobre a bola, e é um modo simples de aumentar o desafio de muitos exercícios. Durante o *walkout*, os músculos abdominais e da parte inferior das costas são ativados isometricamente, enquanto os estabilizadores dos ombros e escapulares devem manter a estabilidade da articulação glenoumeral. Inclua este exercício para treinar estabilidade ou rigidez do *core*, bem como para fortalecer e estabilizar a cápsula articular do ombro. É adequado como exercício tonificante geral, parte de um treinamento específico para esportes, ou como um elemento de um programa de reabilitação para lesões nas costas, no pescoço e nos ombros.

Atenção

Só passe para as formas mais desafiadoras quando for capaz de manter a bola completamente estável na posição final de *walkout*.

Faça direito

Não deixe que a parte inferior da coluna ou os quadris se desloquem durante o *walkout*. Mantenha o corpo rígido como uma prancha.

como fazer

Deite-se, com a barriga sobre uma bola de estabilidade, de modo que mãos e dedos dos pés possam tocar o chão. Coloque as mãos sobre a bola abaixo dos ombros e contraia os músculos abdominais. Levante os pés do chão e estenda os joelhos, de modo que o torso e as pernas fiquem em um plano horizontal. Mantenha as pernas rígidas e ande lentamente com as mãos para frente. A bola vai rolar um pouco, mas continue andando até que apenas os pés estejam apoiados sobre a bola. Lentamente ande para trás e retorne à posição inicial, com a barriga apoiada sobre a bola.

variações

FÁCIL O desafio deste exercício aumenta à medida que o praticante caminha sobre a bola. Pare quando as coxas ou os joelhos estiverem sobre a bola se for incapaz de caminhar com estabilidade até os pés.

DIFÍCIL Para um desafio extra de estabilidade, levante um pé da bola ao final do *walkout*. Mantenha os joelhos completamente estendidos e não deixe a bola rolar de um lado para o outro sob o pé. Para um desafio extra de força, adicione um exercício de flexão de braços quando estiver na posição final do *walkout*. Para aumentar ainda mais o desafio, combine ambas as variações.

músculos ativos

❶ Eretor da espinha (sob a fáscia toracolombar)
❷ Reto abdominal
❸ Oblíquo interno (sob o Oblíquo externo)
❹ Oblíquo externo

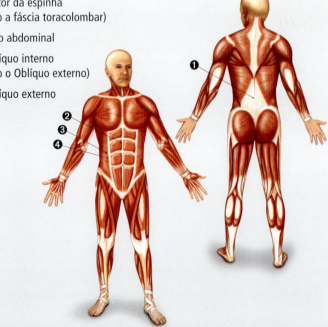

walkout 151

1

- Glúteo máximo
- **Eretor da espinha ❶** (sob a fáscia toracolombar)
- Isquiotibiais
- Quadríceps femoral
- **Reto abdominal ❷**
- **Oblíquo interno ❸** (sob o Oblíquo externo)
- **Oblíquo externo ❹**
- Romboides (sob Trapézio)
- Serrátil anterior
- Deltoides anterior e médio
- Peitoral maior
- Tríceps braquial

- **Eretor da espinha ❶** (sob a fáscia toracolombar)
- Glúteo máximo
- **❸ Oblíquo interno** (sob o Oblíquo externo)
- **❹ Oblíquo externo**
- Serrátil anterior
- Romboides (sob o Trapézio)
- **Reto abdominal ❷**
- Tríceps braquial
- Peitoral maior
- Deltoides anterior e médio

▸ Os nomes dos músculos ativos estão em preto, e os dos músculos estabilizadores, em cinza.

152

Livro para Colorir

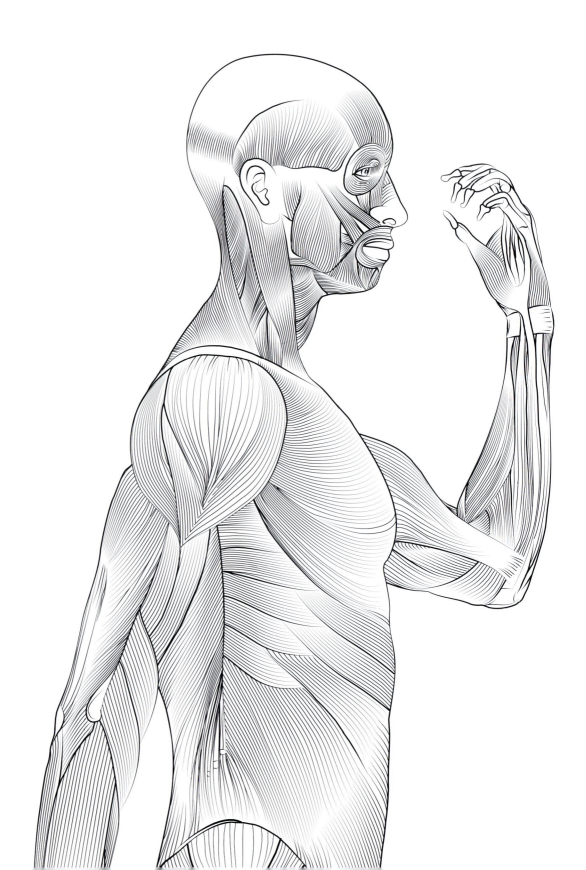

Sistema Muscular	154
Tipos de Músculos	172
Articulações	173
Sistema Esquelético	174
Sistema Nervoso	184

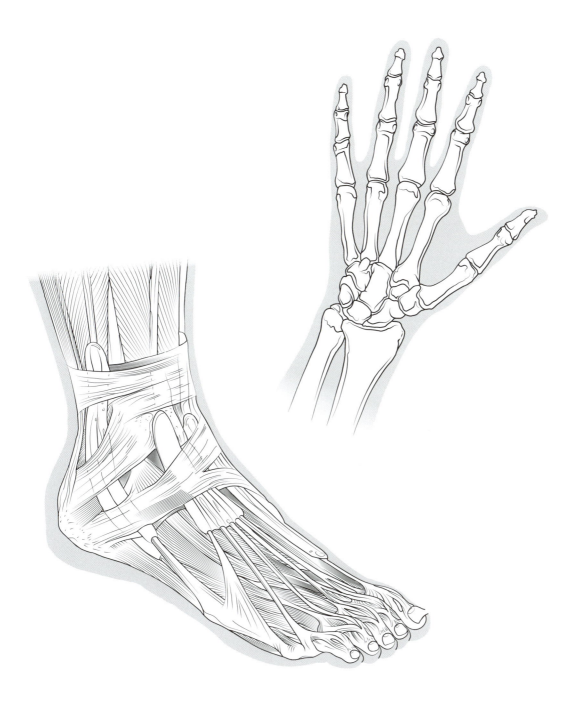

Sistema Muscular

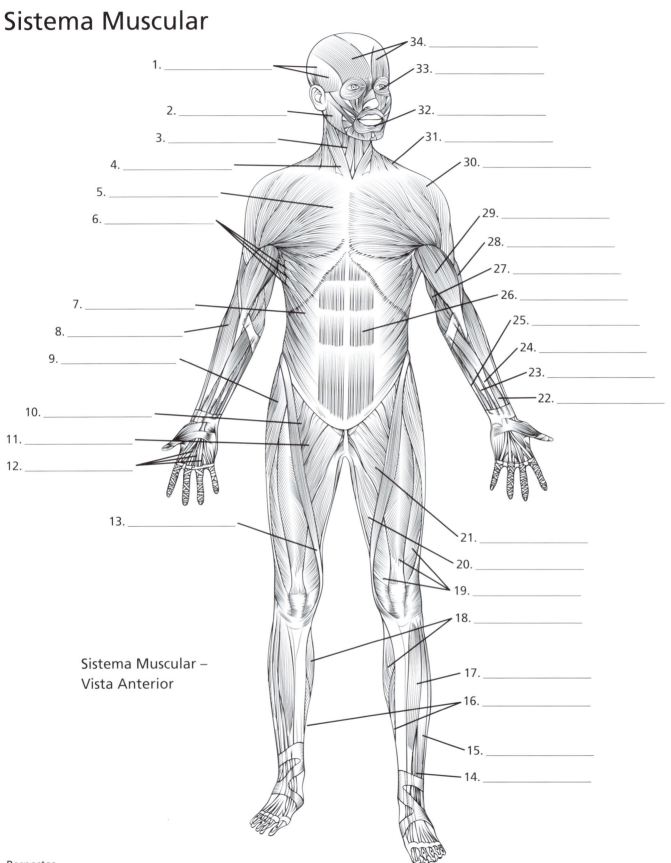

Sistema Muscular – Vista Anterior

Respostas

1. Temporal, 2. Masseter, 3. Esternocleidoide (músculo esternoide), 4. Esternocleidomastoideo, 5. Peitoral maior, 6. Serrátil anterior, 7. Oblíquo externo abdominal, 8. Braquiorradial, 9. Tensor da fáscia lata, 10. Iliopsoas, 11. Pectíneo, 12. Lumbricais, 13. Sartório, 14. Extensor longo do hálux, 15. Extensor longo dos dedos, 16. Sóleo, 17. Tibial anterior, 18. Gastrocnêmio, 19. Quadríceps femoral, 20. Adutor magno, 21. Adutor longo, 22. Flexor superficial dos dedos, 23. Tendão do flexor radial do carpo, 24. Tendão do flexor longo, 25. Tendão do flexor ulnar do carpo, 26. Reto abdominal, 27. Tríceps braquial, 28. Braquial, 29. Bíceps braquial, 30. Deltoide, 31. Trapézio, 32. Orbicular da boca, 33. Orbicular do olho, 34. Frontal.

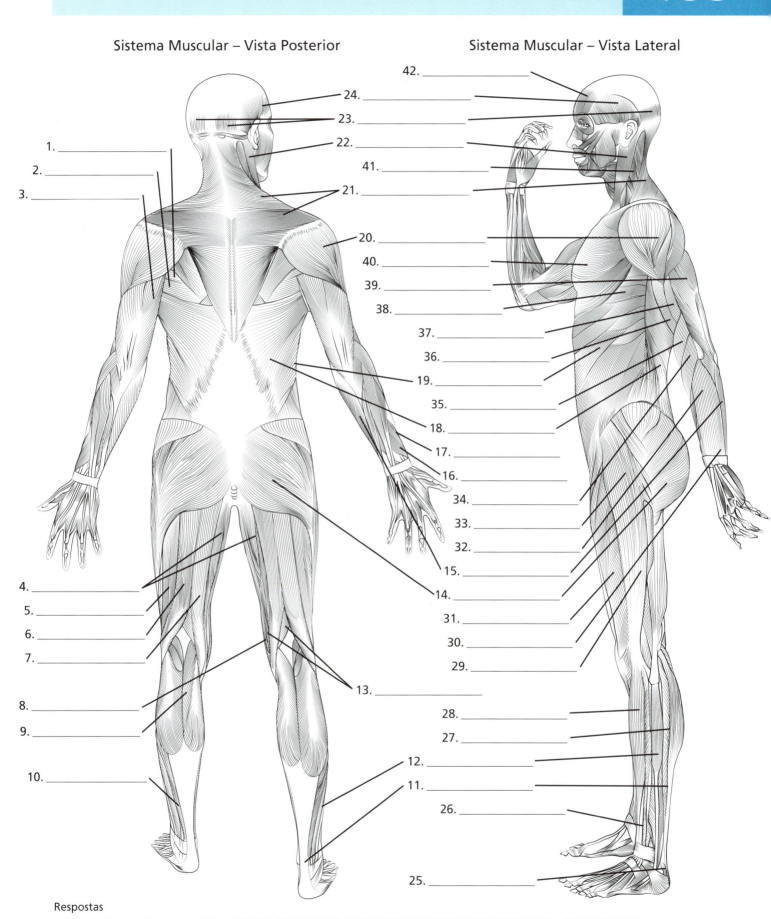

Músculos da Cabeça e do Pescoço

Músculos Superficiais e Profundos da Cabeça e do Pescoço – Vista Anterior

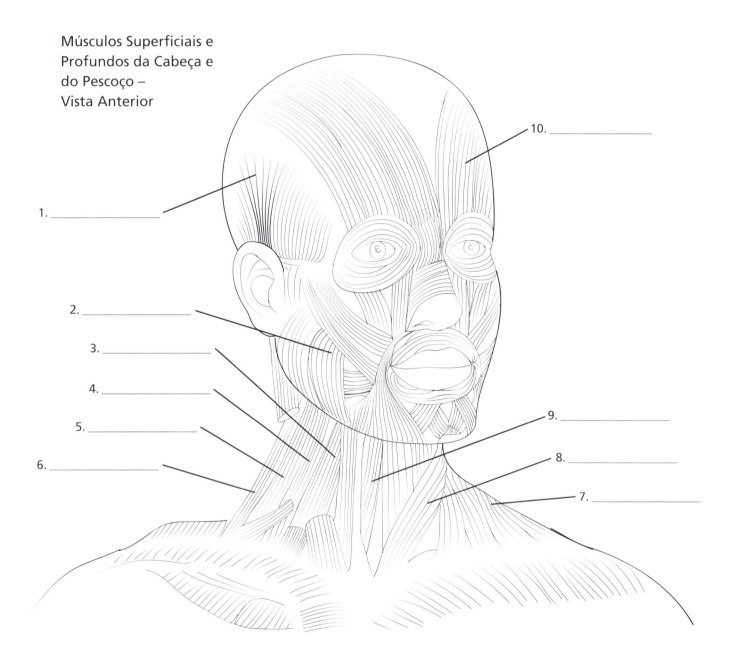

1. _____
2. _____
3. _____
4. _____
5. _____
6. _____
7. _____
8. _____
9. _____
10. _____

Respostas

1. Temporal, 2. Masseter, 3. Escaleno anterior, 4. Escaleno médio, 5. Levantador da escápula, 6. Trapézio (seccionado), 7. Trapézio 8. Esternocleidomastoideo, 9. Esternoclidoide (músculo esternióideo), 10. Frontal.

sistema muscular — 157

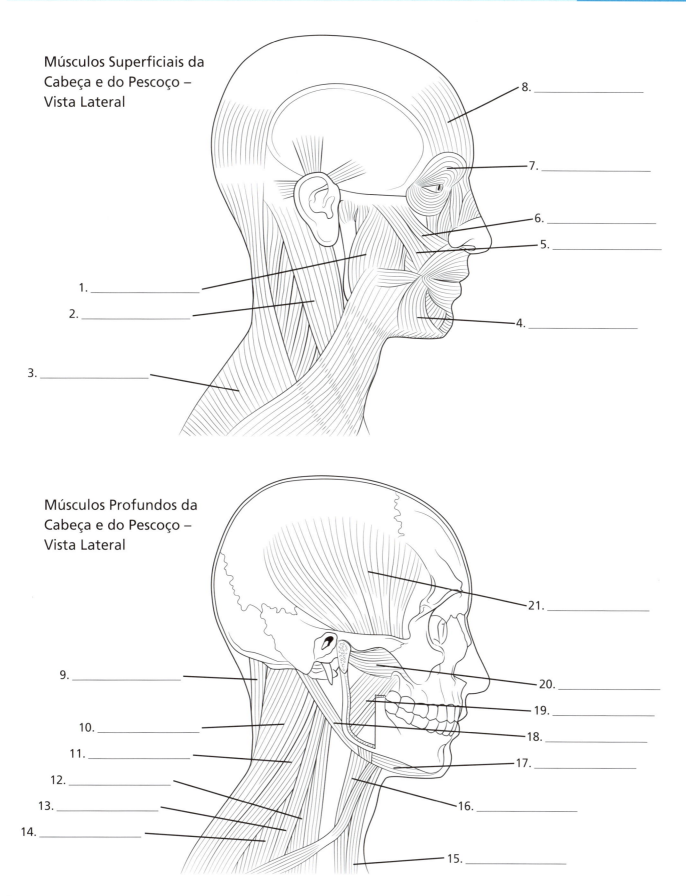

Músculos Superficiais da Cabeça e do Pescoço – Vista Lateral

1. _____
2. _____
3. _____
4. _____
5. _____
6. _____
7. _____
8. _____

Músculos Profundos da Cabeça e do Pescoço – Vista Lateral

9. _____
10. _____
11. _____
12. _____
13. _____
14. _____
15. _____
16. _____
17. _____
18. _____
19. _____
20. _____
21. _____

Respostas

1. Masseter, 2. Esternocleidomastoídeo, 3. Trapézio, 4. Depressor orbicular do olho, 5. Zigomático maior, 6. Zigomático menor, 7. Orbicular do olho, 8. Frontal, 9. Semiespinhal da cabeça, 10. Esplênio da cabeça, 11. Levantador da escápula, 12. Escaleno médio, 13. Escaleno anterior, 14. Escaleno posterior, 15. Esternoclidoide (músculo esternoideo), 16. Tireóideo, 17. Digástrico (porção anterior), 18. Digástrico (porção posterior), 19. Pterigoide medial, 20. Pterigoide lateral, 21. Temporal.

Músculos das Costas

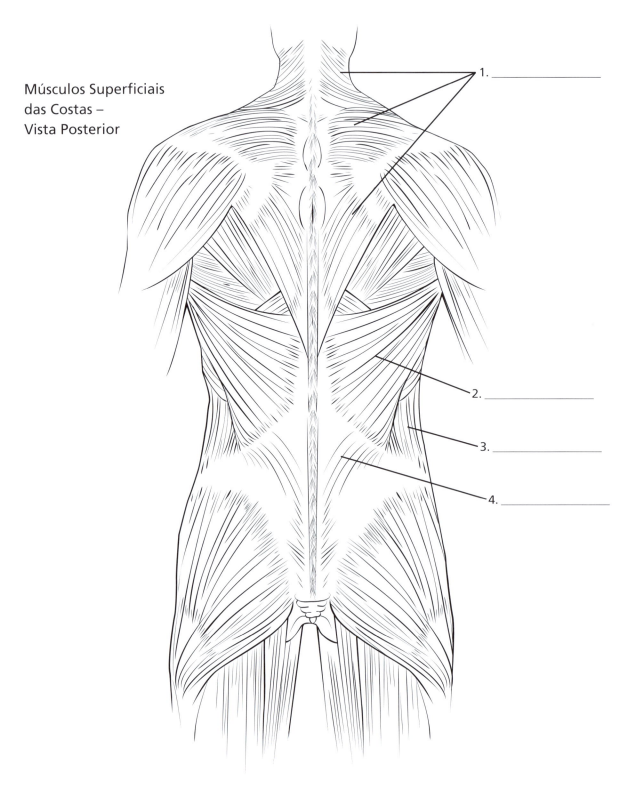

Músculos Superficiais das Costas – Vista Posterior

1. _____
2. _____
3. _____
4. _____

Respostas

1. Trapézio, 2. Latíssimo dorsal, 3. Abdominal externo oblíquo, 4. Fáscia toracolombar.

sistema muscular 159

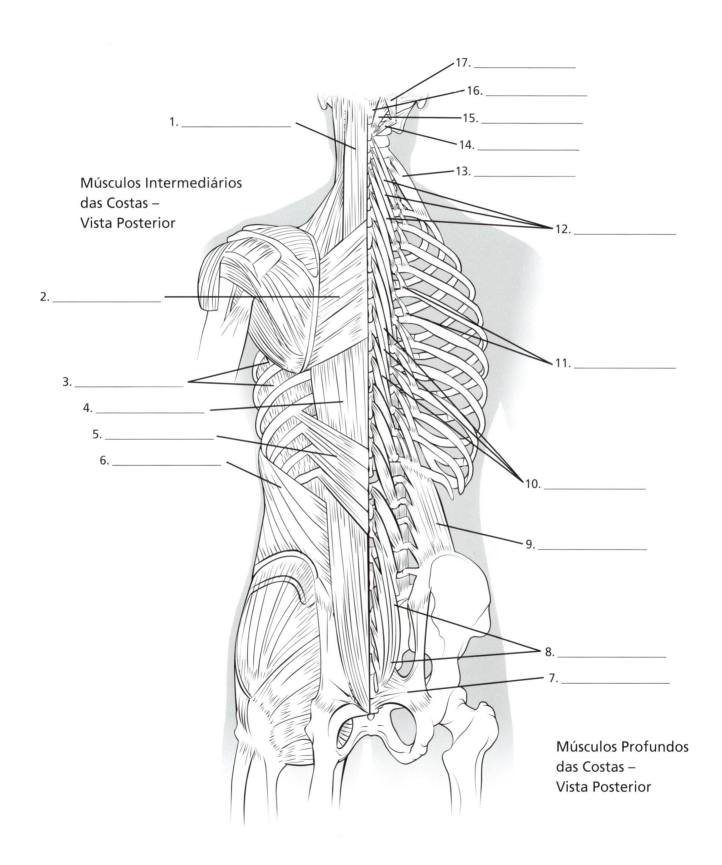

Músculos Intermediários das Costas – Vista Posterior

Músculos Profundos das Costas – Vista Posterior

Respostas

1. Semiespinhal da cabeça, 2. Romboide maior, 3. Intercostais externos, 4. Eretor da espinha, 5. Serrátil posterior inferior, 6. Oblíquo interno, 7. Ligamento sacrotuberoso, 8. Multífido, 9. Quadrado lombar, 10. Semiespinhal torácico, 11. Levantadores das costelas, 12. Semiespinhal cervical, 13. Escaleno posterior, 14. Oblíquo inferior da cabeça, 15. Reto posterior maior da cabeça, 16. Reto posterior menor da cabeça, 17. Oblíquo superior da cabeça.

Músculos do Tórax e do Abdômen

Músculos Superficiais e Profundos do Tórax e do Abdômen – Vista Anterior

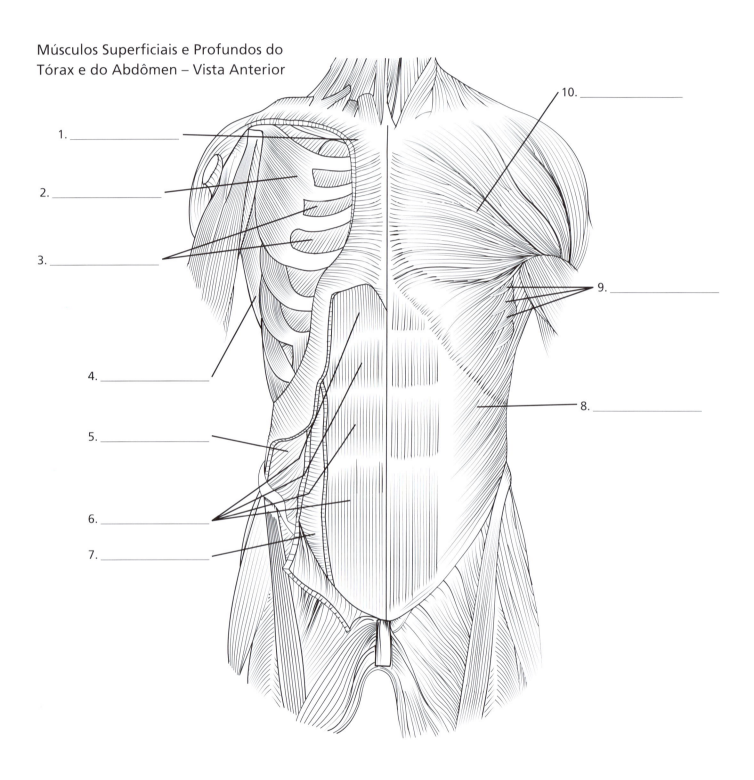

1. _____
2. _____
3. _____
4. _____
5. _____
6. _____
7. _____
8. _____
9. _____
10. _____

Respostas

1. Peitoral maior. 2. Peitoral menor. 3. Intercostais internos. 4. Grande dorsal. 5. Oblíquo interno abdominal. 6. Reto abdominal. 7. Transverso abdominal. 8. Oblíquo externo abdominal. 9. Serrátil anterior. 10. Peitoral maior.

Músculos do Ombro

Músculos Superficiais e Profundos do Ombro – Vista Posterior

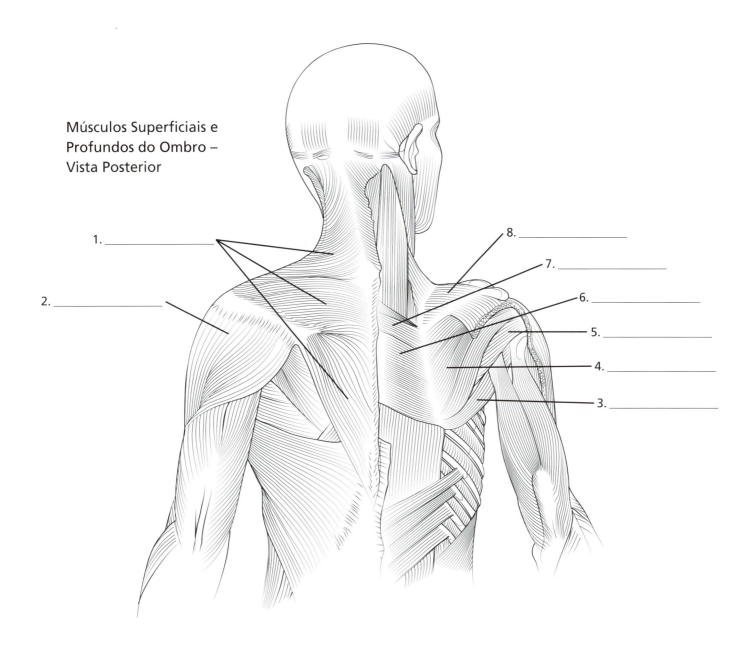

1. _____
2. _____
3. _____
4. _____
5. _____
6. _____
7. _____
8. _____

Respostas

1. Trapézio, 2. Deltoide, 3. Redondo maior, 4. Infraespinhoso, 5. Redondo menor, 6. Romboide maior, 7. Romboide menor, 8. Supraespinhoso.

Músculos do Ombro

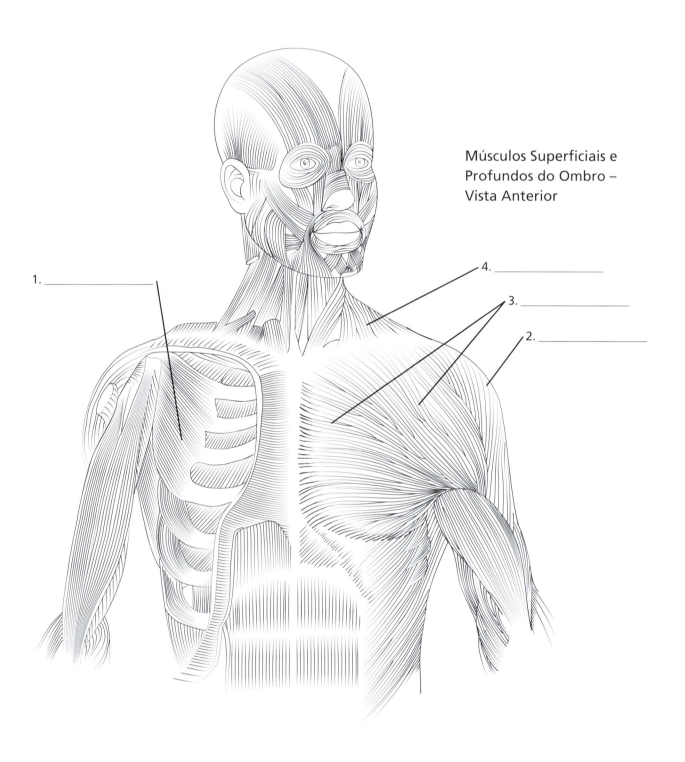

Músculos Superficiais e Profundos do Ombro – Vista Anterior

1. _____
2. _____
3. _____
4. _____

Respostas

1. Peitoral menor, 2. Deltoide, 3. Peitoral maior, 4. Trapézio.

sistema muscular 163

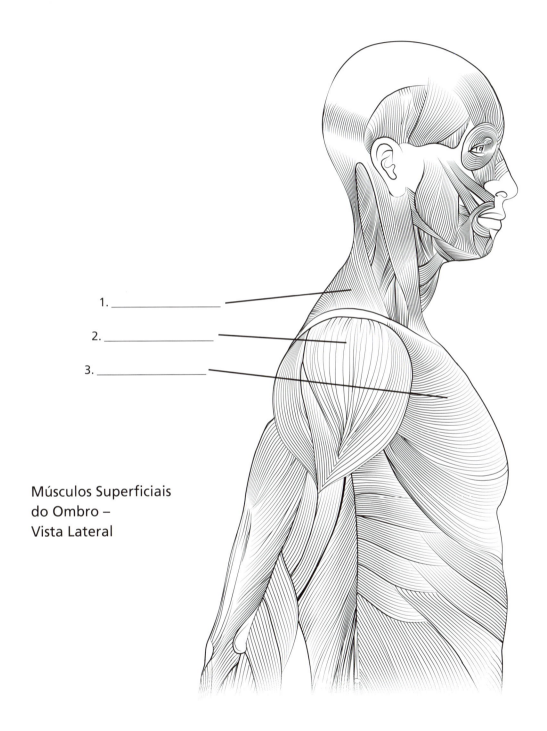

1. _____
2. _____
3. _____

Músculos Superficiais do Ombro – Vista Lateral

Respostas
1. Trapézio, 2. Deltoide, 3. Peitoral maior.

Músculos dos Membros Superiores

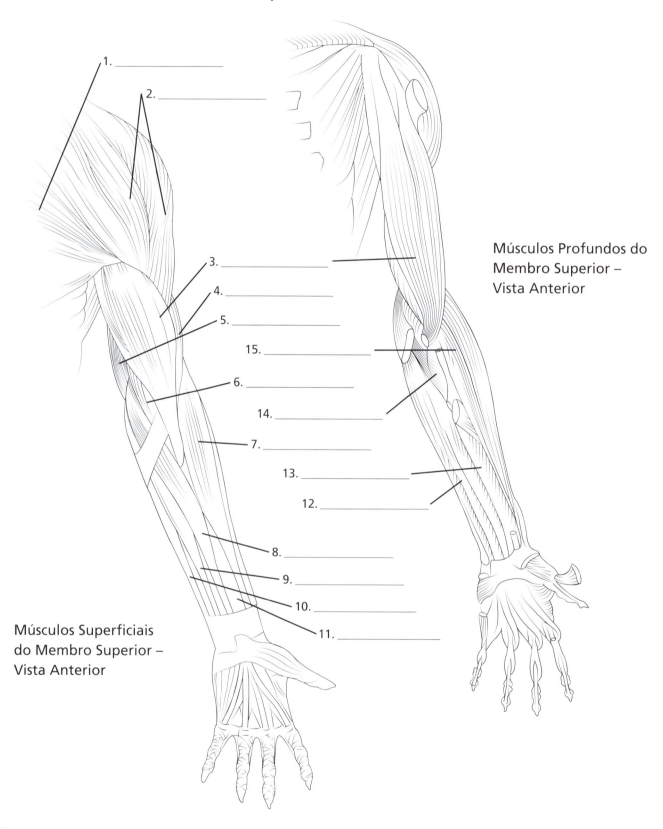

Músculos Profundos do Membro Superior – Vista Anterior

Músculos Superficiais do Membro Superior – Vista Anterior

Respostas

1. Peitoral maior, 2. Deltoide, 3. Bíceps braquial, 4. Braquial, 5. Tríceps braquial, 6. Pronador redondo, 7. Braquiorradial, 8. Tendão do flexor radial do carpo, 9. Tendão do palmar longo, 10. Tendão do flexor ulnar do carpo, 11. Flexor superficial dos dedos, 12. Flexor profundo dos dedos, 13. Flexor longo do polegar, 14. Pronador redondo, 15. Extensor longo radial do carpo.

sistema muscular 165

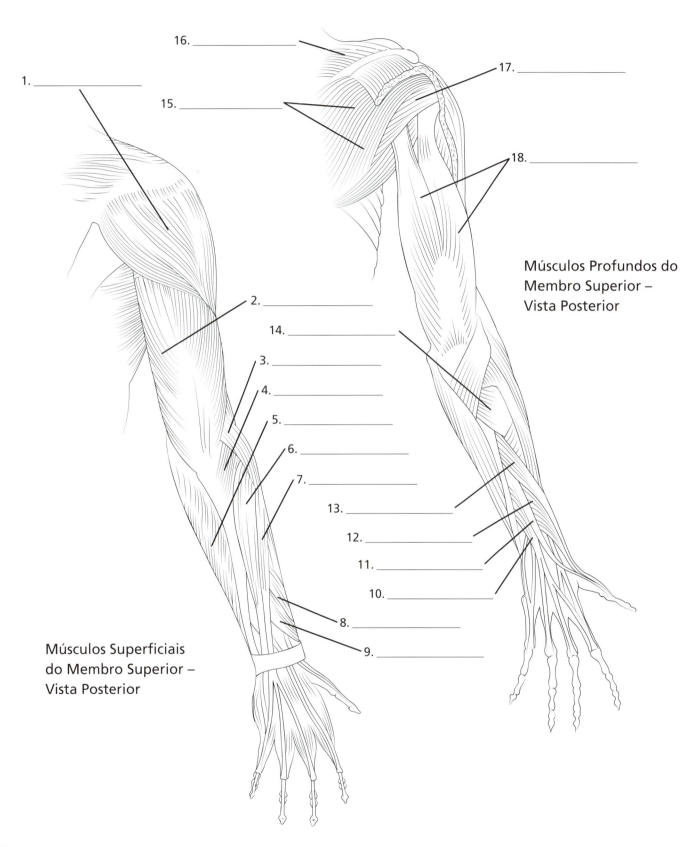

Músculos Profundos do Membro Superior – Vista Posterior

Músculos Superficiais do Membro Superior – Vista Posterior

Respostas

1. Deltoide, 2. Cabeça longa do tríceps braquial, 3. Braquiorradial, 4. Ancôneo, 5. Flexor ulnar do carpo, 6. Extensor do dedo mínimo, 7. Extensor dos dedos, 8. Abdutor longo do polegar, 9. Extensor curto do polegar, 10. Extensor do indicador, 11. Extensor longo do polegar, 12. Extensor curto do polegar, 13. Abdutor longo do polegar, 14. Supinador, 15. Infraespinhoso, 16. Supraespinhoso 17. Redondo menor, 18. Tríceps braquial.

Músculos dos Membros Superiores

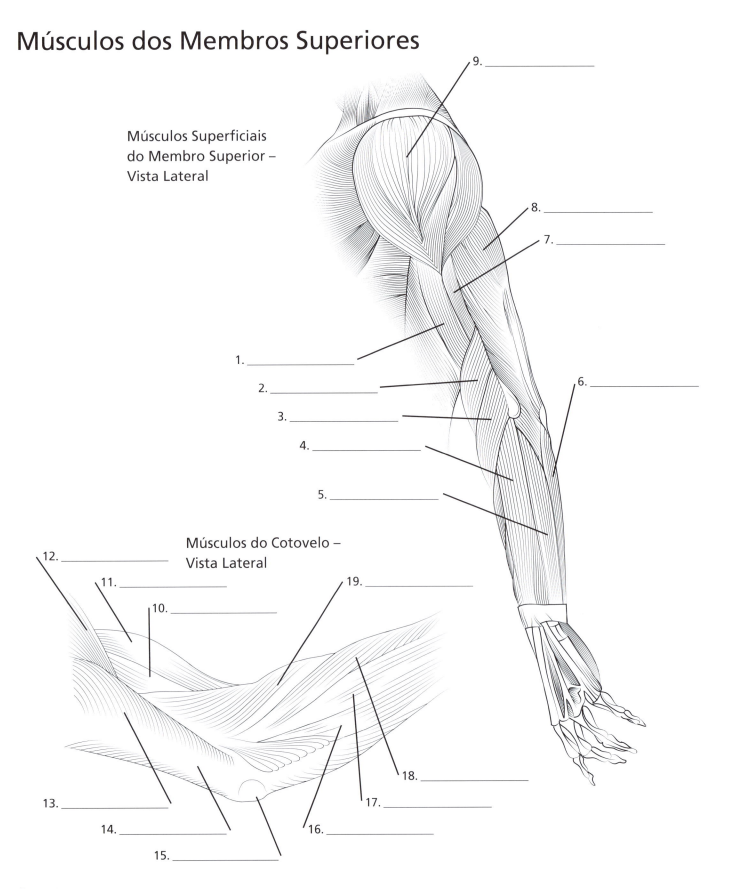

Respostas

1. Bíceps braquial, 2. Braquiorradial, 3. Extensor longo radial do carpo, 4. Extensor dos dedos, 5. Extensor ulnar do carpo, 6. Flexor ulnar do carpo, 7. Braquial, 8. Cabeça lateral do tríceps braquial, 9. Deltoide, 10. Braquial, 11. Bíceps braquial, 12. Deltoide, 13. Tríceps braquial, 14. Tendão do tríceps braquial, 15. Olécrano, 16. Extensor ulnar do carpo, 17. Extensor dos dedos, 18. Extensor longo radial do carpo, 19. Braquiorradial.

sistema muscular 167

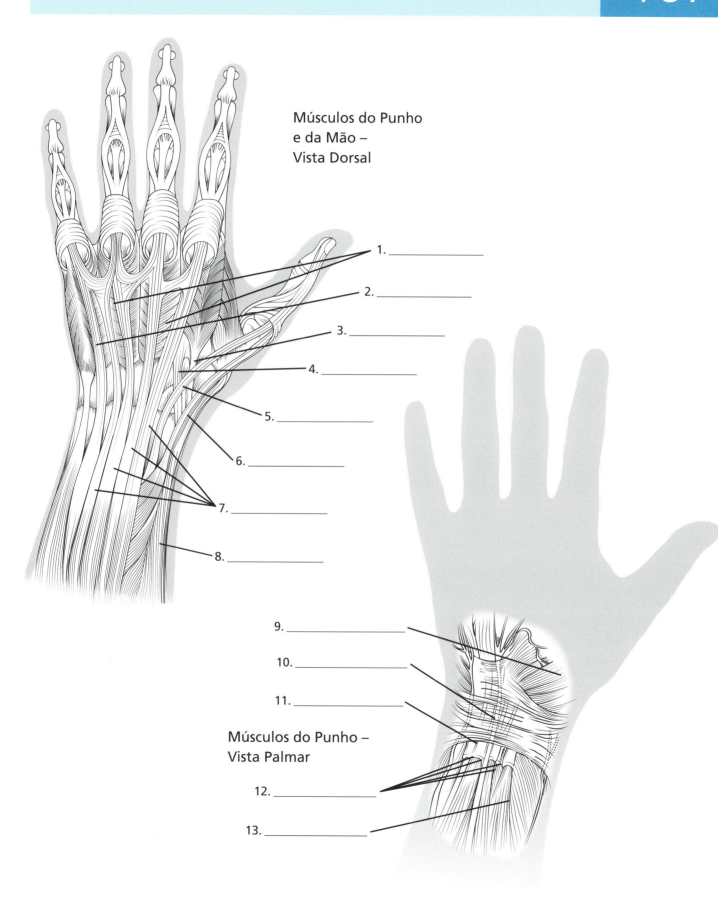

Músculos do Punho e da Mão – Vista Dorsal

1. _____
2. _____
3. _____
4. _____
5. _____
6. _____
7. _____
8. _____

Músculos do Punho – Vista Palmar

9. _____
10. _____
11. _____
12. _____
13. _____

Respostas

1. Músculos dorsais interósseos, 2. Extensor do dedo mínimo, 3. Extensor longo radial do carpo, 4. Extensor radial curto do carpo, 5. Extensor longo do polegar, 6. Extensor curto do polegar, 7. Extensor dos dedos, 8. Abdutor longo do polegar, 9. Músculos tenares, 10. Retináculo dos flexores, 11. Bainha do tendão do flexor superficial dos dedos, 12. Tendão do flexor superficial dos dedos, 13. Flexor radial do carpo.

Músculos dos Membros Inferiores

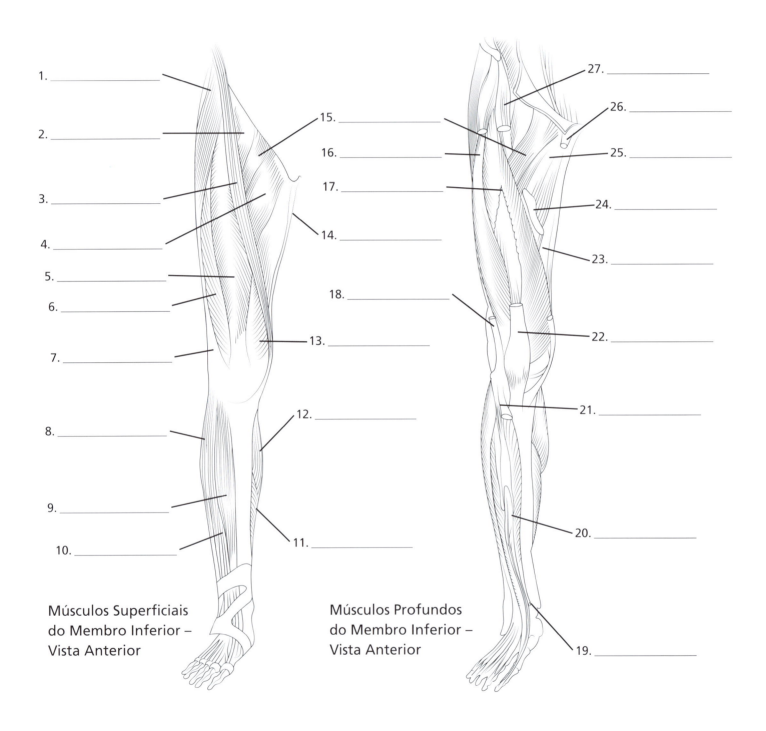

Músculos Superficiais do Membro Inferior – Vista Anterior

Músculos Profundos do Membro Inferior – Vista Anterior

Respostas

1. Tensor da fáscia lata, 2. Iliopsoas, 3. Sartório, 4. Adutor longo, 5. Reto femoral, 6. Vasto lateral, 7. Trato iliotibial, 8. Fibular longo, 9. Tibial anterior, 10. Extensor longo dos dedos, 11. Sóleo, 12. Gastrocnêmio, 13. Vasto medial, 14. Grácil, 15. Pectíneo, 16. Vasto lateral, 17. Vasto intermédio, 18. Trato iliotibial, 19. Tibial anterior (seccionado), 20. Extensor longo do hálux, 21. Tibial anterior (seccionado), 22. Reto femoral (seccionado), 23. Adutor magno, 24. Adutor longo (seccionado), 25. Adutor curto, 26. Adutor longo (seccionado), 27. Sartório (seccionado).

sistema muscular 169

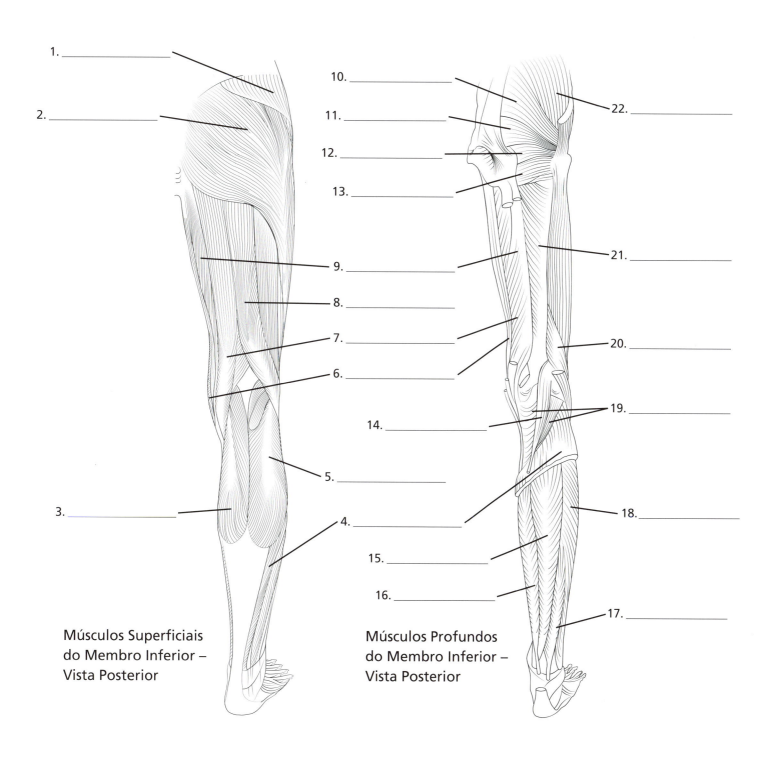

Músculos Superficiais do Membro Inferior – Vista Posterior

Músculos Profundos do Membro Inferior – Vista Posterior

Respostas

1. Glúteo médio, 2. Glúteo máximo, 3. Cabeça medial do gastrocnêmio, 4. Sóleo, 5. Cabeça lateral do gastrocnêmio, 6. Grácil, 7. Semitendinoso, 8. Bíceps femoral, 9. Adutor magno, 10. Piriforme, 11. Gêmeo superior, 12. Gêmeo inferior, 13. Quadrado femoral, 14. Plantar, 15. Tibial posterior, 16. Flexor longo dos dedos, 17. Flexor longo do hálux, 18. Fibular longo, 19. Poplíteo, 20. Cabeça curta do bíceps femoral, 21. Parte adutora do adutor magno, 22. Glúteo mínimo.

Músculos dos Membros Inferiores

Músculos Superficiais do Membro Inferior – Vista Lateral

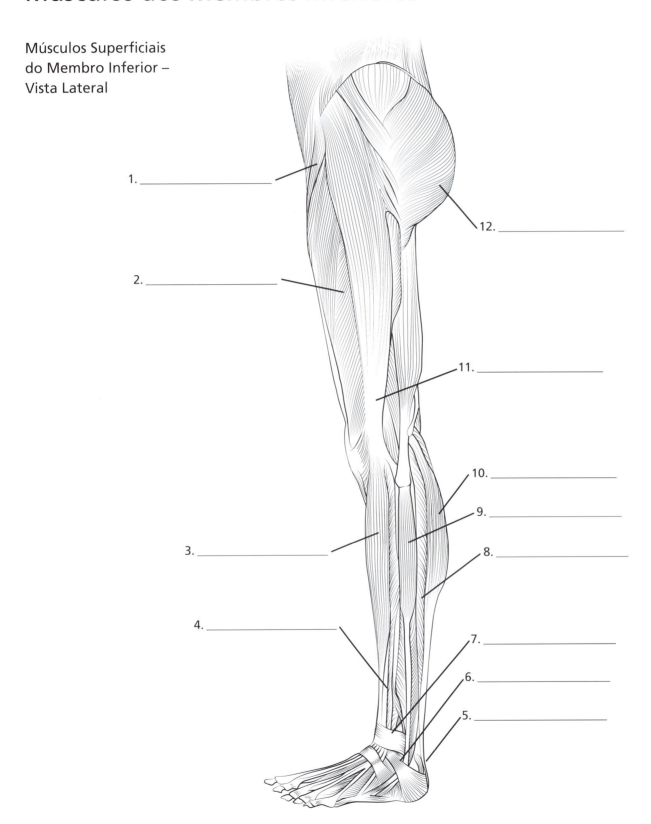

1. _____
2. _____
3. _____
4. _____
5. _____
6. _____
7. _____
8. _____
9. _____
10. _____
11. _____
12. _____

Respostas

1. Sartório. 2. Quadríceps femoral (vasto lateral). 3. Tibial anterior. 4. Extensor longo dos dedos. 5. Tendão calcâneo (tendão de Aquiles). 6. Retináculo inferior do extensor. 7. Retináculo superior do extensor. 8. Sóleo. 9. Fibular longo. 10. Cabeça lateral do gastrocnêmio. 11. Trato iliotibial. 12. Glúteo máximo.

sistema muscular 171

1. _____
2. _____
3. _____
4. _____
5. _____
6. _____
7. _____
8. _____
9. _____
10. _____
11. _____
12. _____
13. _____
14. _____
15. _____

Músculos do Pé – Vista Lateral

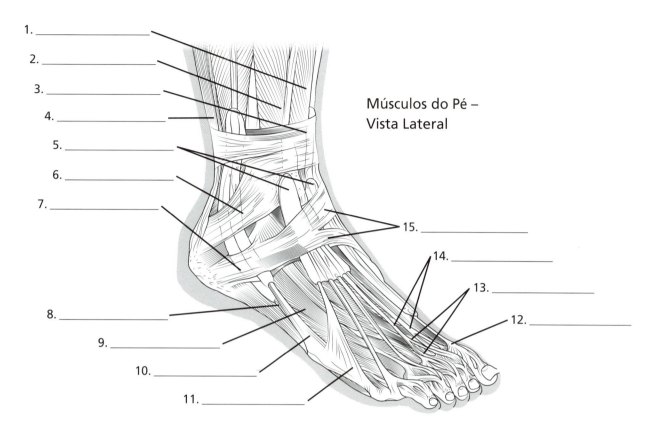

16. _____
17. _____
18. _____
19. _____
20. _____
21. _____
22. _____
23. _____
24. _____
25. _____
26. _____
27. _____
28. _____

Músculos do Pé – Vista Posteromedial

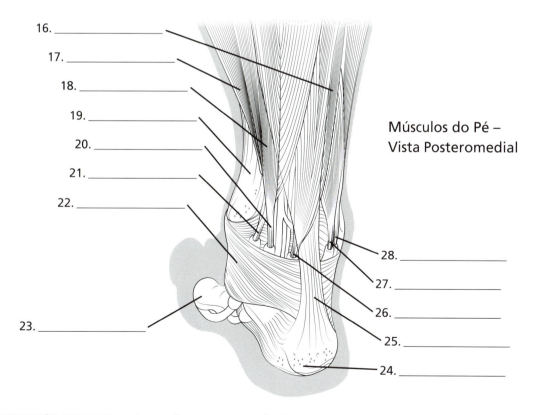

Respostas

1. Extensor longo do hálux, 2. Extensor longo dos dedos, 3. Retináculo superior do extensor, 4. Tendão calcâneo (tendão de Aquiles), 5. Bainhas de tendões, 6. Retináculo fibular superior, 7. Retináculo fibular inferior, 8. Tendão fibular longo, 9. Extensor curto dos dedos, 10. Tendão fibular curto, 11. Fibular terceiro, 12. Flexor longo do hálux, 13. Tendões dos extensores curtos dos dedos, 14. Tendões dos extensores longos dos dedos, 15. Retináculo inferior do extensor, 16. Flexor longo do hálux, 17. Tibial posterior, 18. Flexor longo dos dedos, 19. Tíbia, 20. Tendão do flexor longo dos dedos, 21. Tendão tibial posterior, 22. Retináculo dos flexores, 23. Primeiro metatarso, 24. Tuberosidade calcânea, 25. Tendão calcâneo (tendão de Aquiles), 26. Tendão do flexor longo do hálux, 27. Tendão do fibular longo, 28. Tendão do fibular curto.

Tipos de Músculos

1. _____

2. _____

3. _____

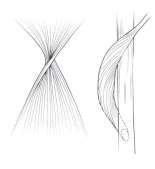
4. _____

5. _____

6. _____

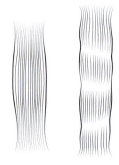
7. _____

8. _____

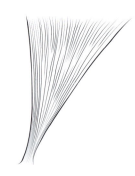
9. _____

10. _____

11. _____

12. _____

13. _____

14. _____

15. _____

16. _____

Respostas

1. Unipenado, 2. Bipenado, 3. Multipenado, 4. Espiral, 5. Radial, 6. Quadrado, 7. Infra-hióideos, 8. Cruzado, 9. Triangular, 10. Multicaudal, 11. Fusiforme, 12. Digástrico, 13. Circular (esfincterico), 14. Bicipital, 15. Tricipital, 16. Quadricipital.

Articulações

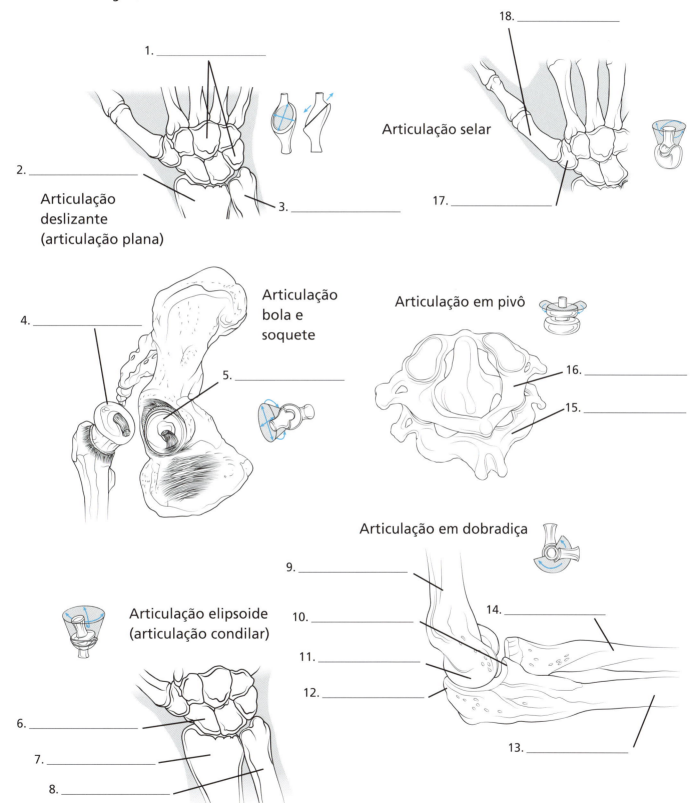

Respostas

1. Ossos do carpo, 2. Rádio, 3. Ulna, 4. Cabeça do fêmur (bola), 5. Acetábulo (soquete), 6. Osso escafoide, 7. Rádio, 8. Ulna, 9. Úmero, 10. Processo coroide da ulna, 11. Tróclea (do úmero), 12. Olécrano, 13. Ulna, 14. Rádio, 15. Axis, 16. Atlas, 17. Osso trapézio, 18. Osso do metacarpo do artelho maior.

Sistema Esquelético

Sistema Esquelético – Vista Anterior

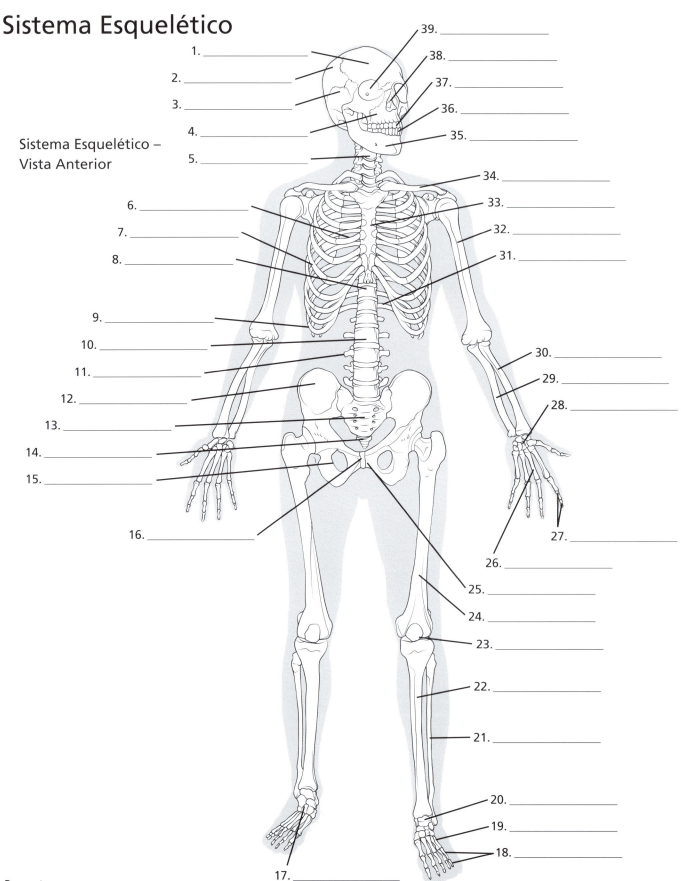

1. _____
2. _____
3. _____
4. _____
5. _____
6. _____
7. _____
8. _____
9. _____
10. _____
11. _____
12. _____
13. _____
14. _____
15. _____
16. _____
17. _____
18. _____
19. _____
20. _____
21. _____
22. _____
23. _____
24. _____
25. _____
26. _____
27. _____
28. _____
29. _____
30. _____
31. _____
32. _____
33. _____
34. _____
35. _____
36. _____
37. _____
38. _____
39. _____

Respostas

1. Osso frontal, 2. Osso parietal, 3. Osso temporal, 4. Maxilar, 5. Vértebra cervical, 6. Cartilagem costal, 7. Costela verdadeira, 8. Vértebra torácica, 9. Costela falsa, 10. Vértebra lombar, 11. Processo transverso, 12. Íleo, 13. Sacro, 14. Cóccix, 15. Ísquio, 16. Sínfise púbica, 17. Ossos do tarso, 18. Falanges, 19. Ossos do metatarso, 20. Tálus, 21. Fíbula, 22. Tíbia, 23. Patela, 24. Fêmur, 25. Púbis, 26. Ossos do metacarpo, 27. Falanges, 28. Ossos do carpo, 29. Ulna, 30. Rádio, 31. Décima segunda costela (costela flutuante), 32. Úmero, 33. Esterno, 34. Clavícula, 35. Mandíbula, 36. Dentes inferiores, 37. Dentes superiores, 38. Abertura anterior nasal (piriforme), 39. Órbita.

sistema esquelético 175

Sistema Esquelético – Vista Posterior
Sistema Esquelético – Vista Lateral

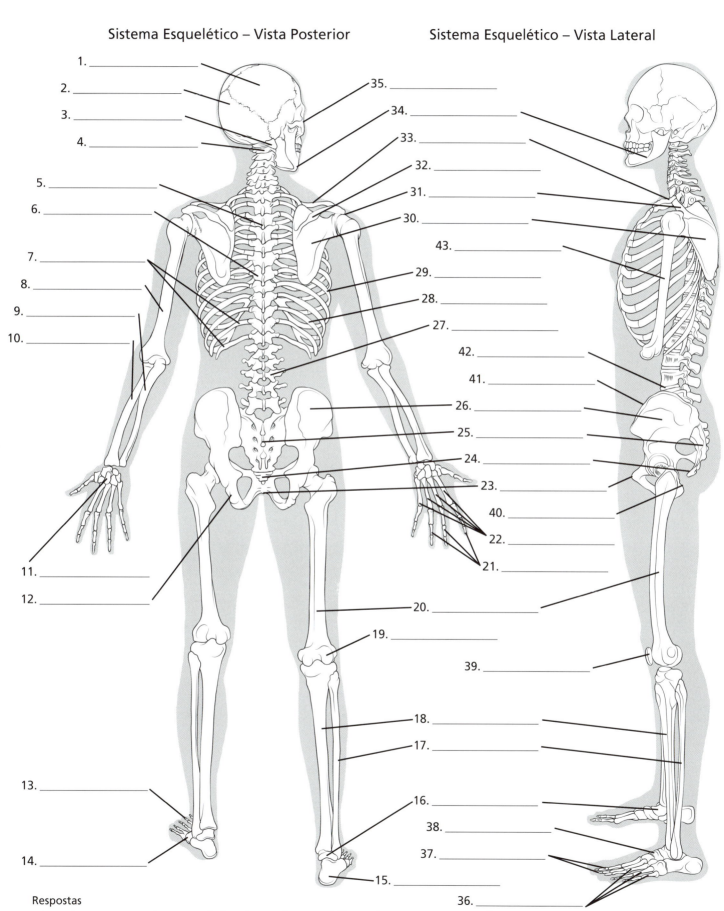

Respostas

1. Osso parietal, 2. Osso occipital, 3. Atlas (C1), 4. Axis (C2), 5. Processos espinhosos da vértebra torácica, 6. Vértebra torácica, 7. Costelas flutuantes (11 & 12), 8. Úmero, 9. Ulna, 10. Rádio, 11. Ossos do carpo, 12. Tuberosidade do ísquio, 13. Falanges, 14. Tálus, 15. Calcâneo, 16. Calcâneo, 17. Fíbula, 18. Tíbia, 19. Côndilo femoral, 20. Fêmur, 21. Falanges, 22. Ossos de metacarpo, 23. Púbis, 24. Cóccix, 25. Sacro, 26. Ílio, 27. Vértebra lombar, 28. Costela falsa, 29. Costela verdadeira, 30. Escápula, 31. Acrômio, 32. Espinha da escápula, 33. Clavícula, 34. Mandíbula, 35. Osso zigomático, 36. Ossos do metatarso, 37. Falanges, 38. Navicular, 39. Patela, 40. Ísquio, 41. Crista ilíaca, 42. Disco intervertebral, 43. Úmero.

Coluna Vertebral

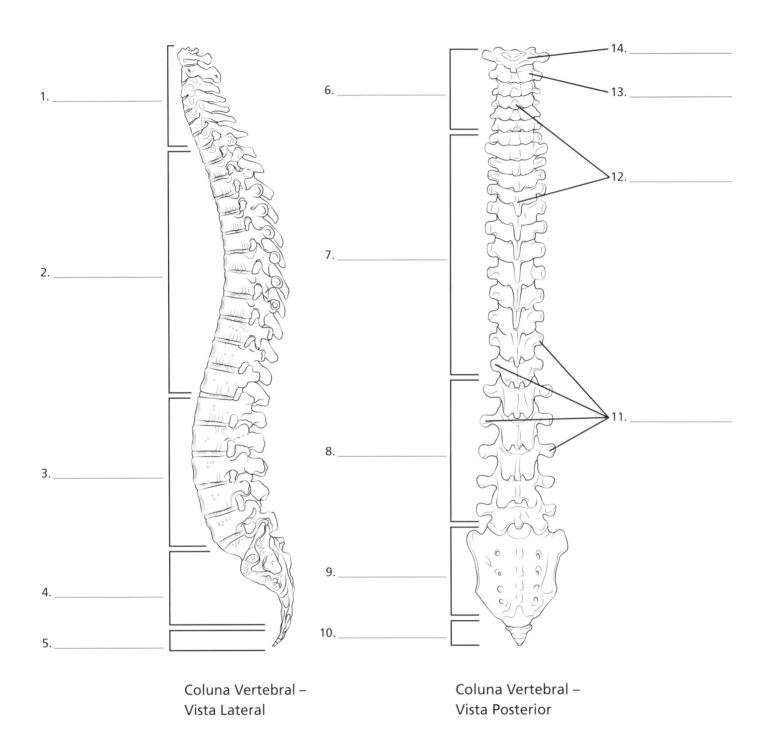

Coluna Vertebral – Vista Lateral

Coluna Vertebral – Vista Posterior

Respostas

1. Vertebras cervicais (C1-C7), 2. Vertebras torácicas (T1-T12), 3. Vertebras lombares (L1-L5), 4. Sacro, 5. Cóccix, 6. Região cervical (C1-C7), 7. Região torácica (T1-T12), 8. Região lombar (L1-L5), 9. Região sacral (S1-S5), 10. Região do cóccix, 11. Processos transversos, 12. Processos espinhosos, 13. Axis (C2), 14. Atlas (C1).

sistema esquelético 177

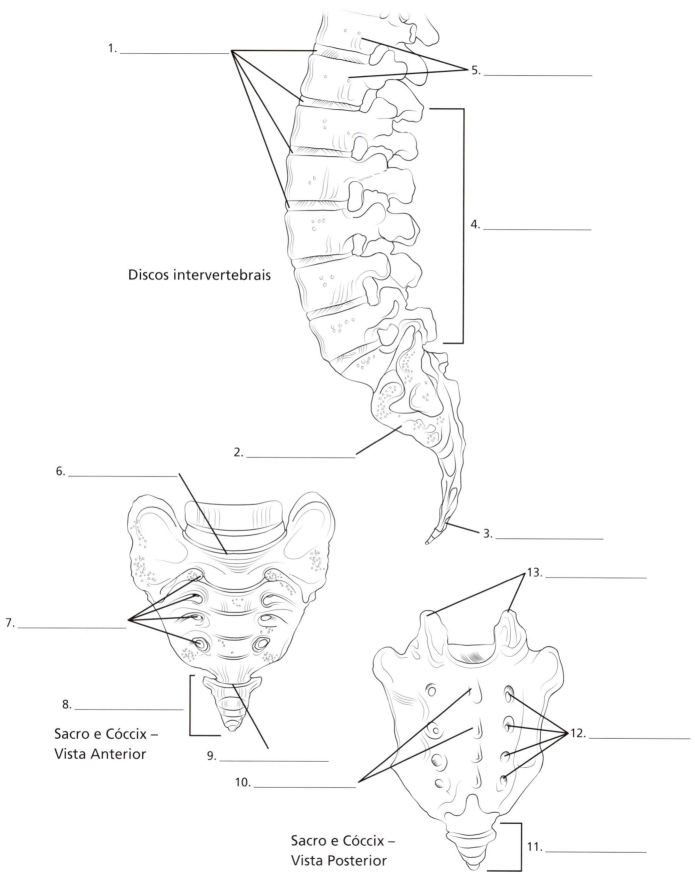

Discos intervertebrais

Sacro e Cóccix – Vista Anterior

Sacro e Cóccix – Vista Posterior

Respostas

1. Discos intervertebrais, 2. Sacro, 3. Cóccix, 4. Vértebras lombares, 5. Vértebras torácicas, 6. Promontório sacral, 7. Forame pélvico sacral, 8. Cóccix, 9. Articulação sacrococcígeana, 10. Crista sacral medial e tubérculos espinhosos, 11. Cóccix, 12. Forame sacral posterior, 13. Processos articulares superiores (facetas).

Ossos dos Membros Superiores

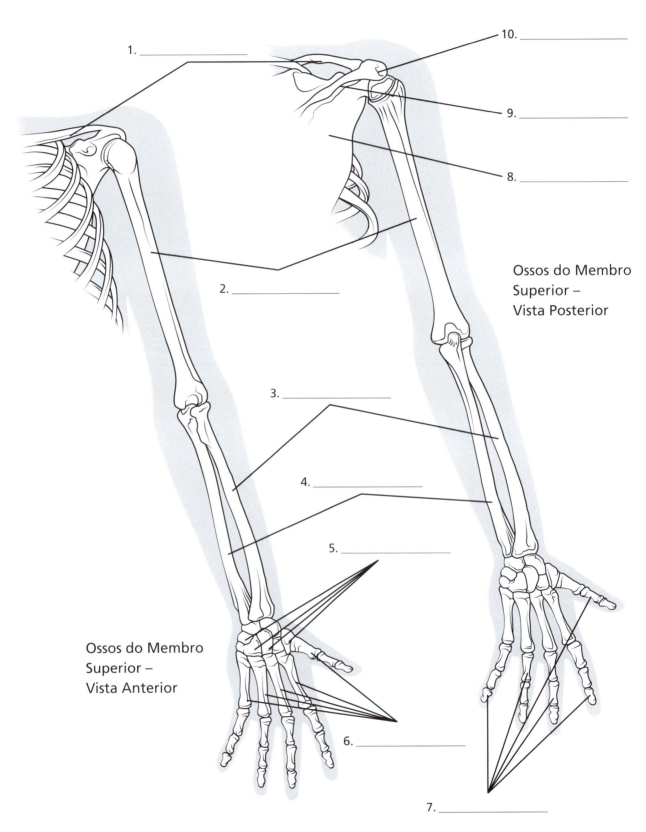

Ossos do Membro Superior – Vista Posterior

Ossos do Membro Superior – Vista Anterior

Respostas

1. Clavícula, 2. Úmero, 3. Rádio, 4. Ulna, 5. Ossos do carpo, 6. Ossos do metacarpo, 7. Falanges, 8. Escápula, 9. Espinha da escápula, 10. Acrômio.

sistema esquelético 179

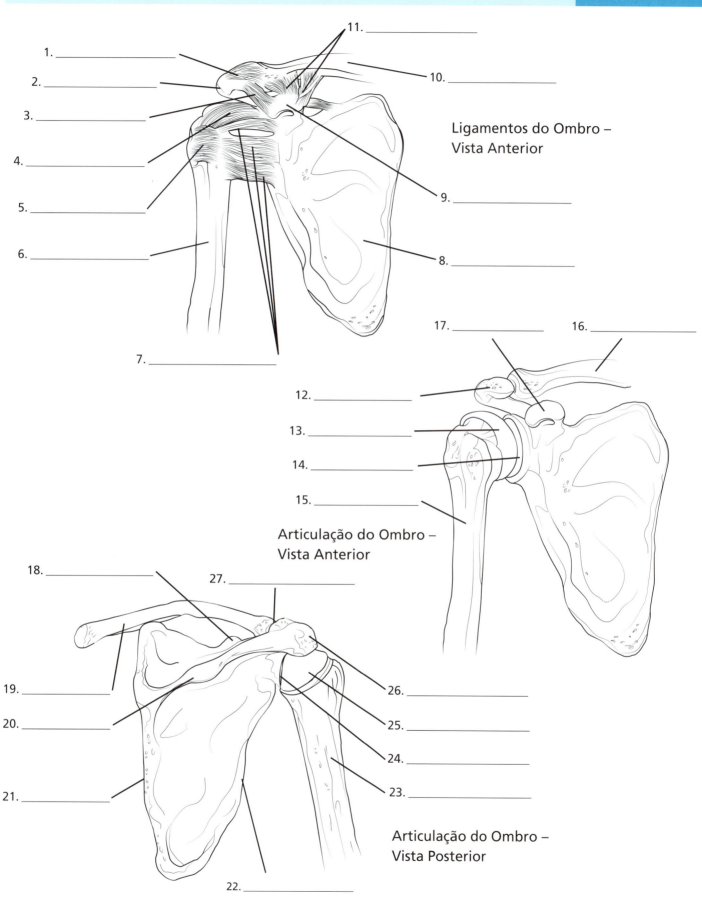

Ligamentos do Ombro – Vista Anterior

Articulação do Ombro – Vista Anterior

Articulação do Ombro – Vista Posterior

Respostas

1. Ligamento acromioclavicular, 2. Acrômio, 3. Ligamento coracoacromial, 4. Ligamento coracoumeral, 5. Ligamento transverso do úmero, 6. Bainha do úmero, 7. Ligamentos glenoumerais, 8. Escápula, 9. Processo coracoide, 10. Clavícula, 11. Ligamento coracoclavicular, 12. Acrômio, 13. Cabeça do úmero, 14. Cavidade glenoide, 15. Úmero, 16. Clavícula, 17. Coracoide, 18. Processo coracoide, 19. Clavícula, 20. Espinha da escápula, 21. Borda medial da escápula, 22. Borda lateral da escápula, 23. Úmero, 24. Fossa glenoide, 25. Cabeça do úmero, 26. Acrômio, 27. Articulação acromioclavicular.

Ossos dos Membros Superiores

Articulação do Cotovelo – Vista Medial

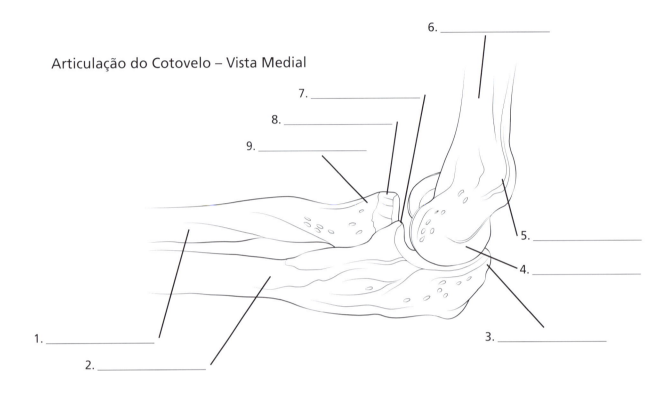

1. _____
2. _____
3. _____
4. _____
5. _____
6. _____
7. _____
8. _____
9. _____

Ligamentos do Cotovelo – Vista Medial

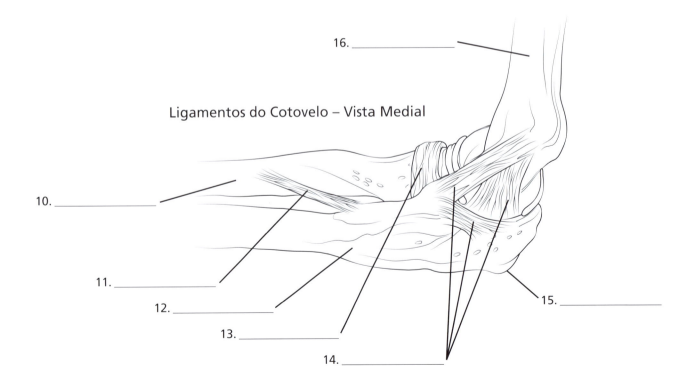

10. _____
11. _____
12. _____
13. _____
14. _____
15. _____
16. _____

Respostas

1. Rádio, 2. Ulna, 3. Olécrano, 4. Tróclea do úmero, 5. Epicôndilo medial do úmero, 6. Úmero, 7. Processo coronoide da ulna, 8. Cabeça do rádio, 9. Pescoço do rádio, 10. Rádio, 11. Cordão oblíquo, 12. Ulna, 13. Ulna, 14. Ligamento anular do rádio, 15. Ligamentos ulnares colaterais, 16. Úmero.

sistema esquelético 181

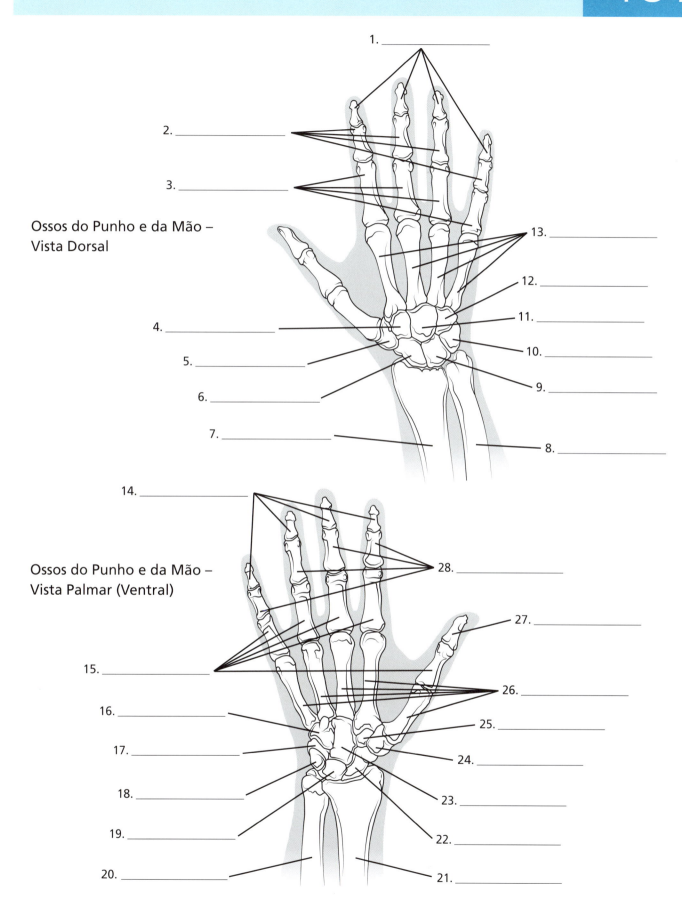

Ossos do Punho e da Mão – Vista Dorsal

Ossos do Punho e da Mão – Vista Palmar (Ventral)

Respostas

1. Falanges distais, 2. Falanges médias, 3. Falanges proximais, 4. Trapezoide, 5. Trapézio, 6. Escafoide, 7. Rádio, 8. Ulna, 9. Semilunar, 10. Piramidal, 11. Capitato, 12. Hamato, 13. Ossos do metacarpo, 14. Falanges distais, 15. Falanges proximais, 16. Hamato, 17. Piramidal, 18. Pisiforme, 19. Semilunar, 20. Ulna, 21. Rádio, 22. Escafoide, 23. Capitato, 24. Trapézio, 25. Trapezoide, 26. Ossos do metacarpo, 27. Falange distal do polegar, 28. Falanges médias.

Ossos dos Membros Inferiores

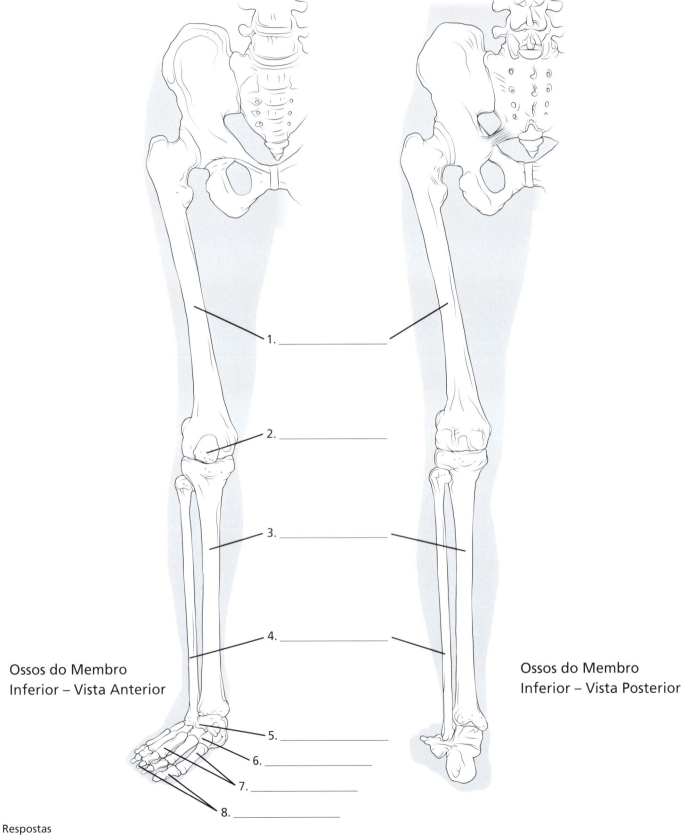

Ossos do Membro Inferior – Vista Anterior

Ossos do Membro Inferior – Vista Posterior

Respostas

1. Fêmur, 2. Patela, 3. Tíbia, 4. Fíbula, 5. Tálus, 6. Ossos do tarso, 7. Ossos do metatarso, 8. Falanges.

sistema esquelético 183

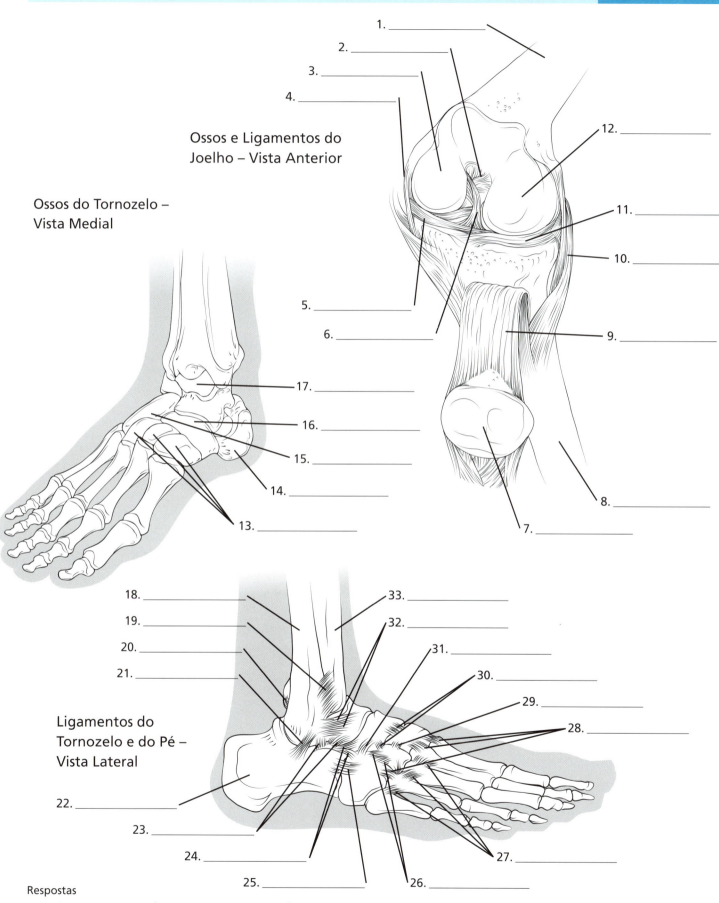

Ossos e Ligamentos do Joelho – Vista Anterior

Ossos do Tornozelo – Vista Medial

Ligamentos do Tornozelo e do Pé – Vista Lateral

Respostas

1. Fêmur, 2. Ligamento cruzado posterior, 3. Côndilo lateral do fêmur, 4. Ligamento colateral tibial (medial), 5. Menisco lateral, 6. Ligamento cruzado anterior, 7. Patela (refletida), 8. Tíbia, 9. Ligamento patelar, 10. Ligamento colateral tibial (medial), 11. Menisco medial, 12. Côndilo medial do fêmur, 13. Ossos cuneiformes, 14. Calcâneo, 15. Cuboide, 16. Navicular, 17. Tálus, 18. Fíbula, 19. Ligamento tíbio-fibular anterior, 20. Ligamento tíbio-fibular posterior, 21. Ligamento calcâneo-fibular, 22. Calcâneo, 23. Ligamento talo-calcâneo, 24. Ligamento bifurcado, 25. Ligamento calcâneo-cuboide dorsal, 26. Ligamento cuneo-cuboide dorsal, 27. Ligamentos metatársicos dorsais, 28. Ligamentos tarsometatársicos dorsais, 29. Ligamento intercuneiforme dorsal, 30. Ligamentos cuneo-naviculares dorsais, 31. Ligamento cuboide-navicular dorsal, 32. Ligamento talo-fibular anterior, 33. Tíbia.

Nervos dos Membros Superior e Inferior

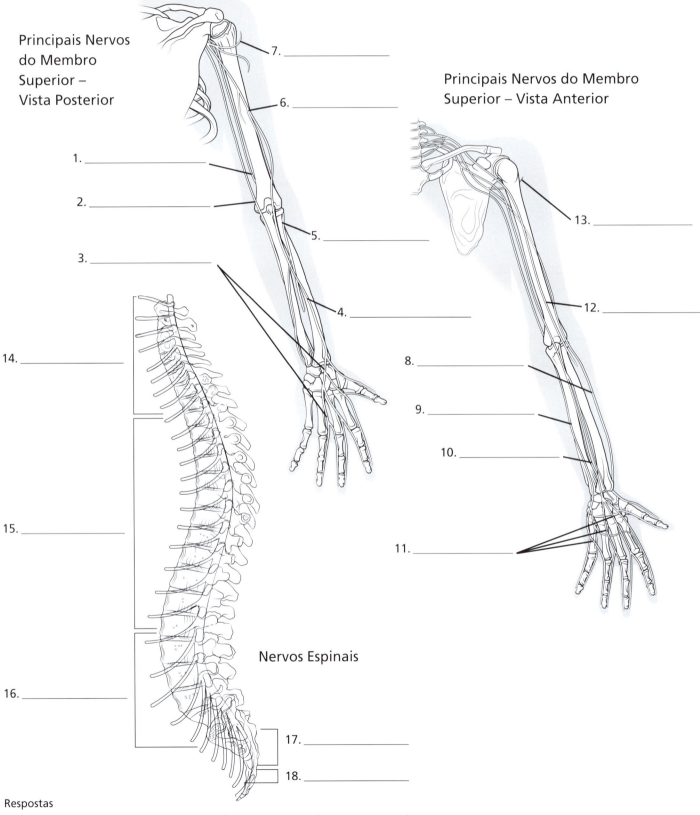

Principais Nervos do Membro Superior – Vista Posterior

1. _____
2. _____
3. _____
4. _____
5. _____
6. _____
7. _____

Principais Nervos do Membro Superior – Vista Anterior

8. _____
9. _____
10. _____
11. _____
12. _____
13. _____

Nervos Espinais

14. _____
15. _____
16. _____
17. _____
18. _____

Respostas

1. Nervo mediano, 2. Nervo ulnar, 3. Nervos digitais do nervo radial, 4. Ramo superficial do nervo radial, 5. Ramo profundo do nervo radial, 6. Nervo radial, 7. Nervo axilar, 8. Nervo radial, 9. Nervo ulnar, 10. Nervo medial, 11. Nervos palmares digitais comuns, 12. Nervo musculocutâneo, 13. Nervo axilar, 14. Nervos espinais C1-C8, 15. Nervos espinais T1-T12, 16. Nervos espinais L1-L5, 17. Nervos espinais S1-S5, 18. Nervo espinal do cóccix.

sistema nervoso 185

Principais Nervos do Membro Inferior – Vista Anterior

Principais Nervos do Membro Inferior – Vista Posterior

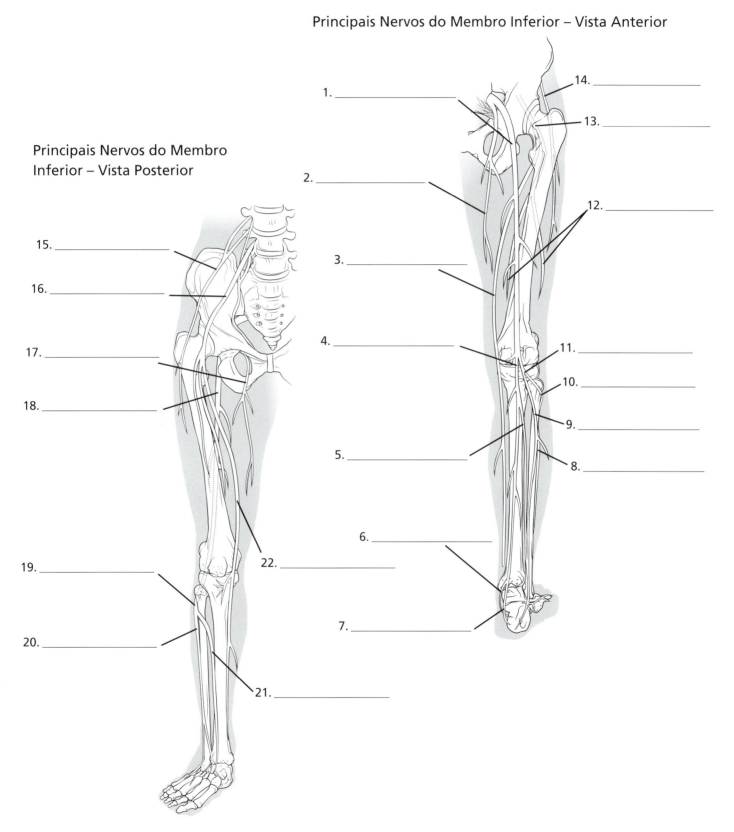

Respostas

1. Nervo ciático, 2. Nervo cutâneo femoral posterior, 3. Nervo safeno, 4. Nervo tibial, 5. Nervo sural cutâneo medial, 6. Nervo plantar medial, 7. Nervo plantar lateral, 8. Nervo sural cutâneo medial, 9. Nervo fibular profundo, 10. Nervo fibular superficial, 11. Nervo fibular comum, 12. Ramos do nervo comum, 13. Nervo femoral, 14. Nervo cutâneo femoral lateral, 15. Nervo cutâneo femoral lateral, 16. Nervo femoral, 17. Nervo obturador, 18. Nervo ciático, 19. Nervo fibular comum, 20. Nervo fibular superficial, 21. Nervo fibular profundo, 22. Nervo safeno.

Referências

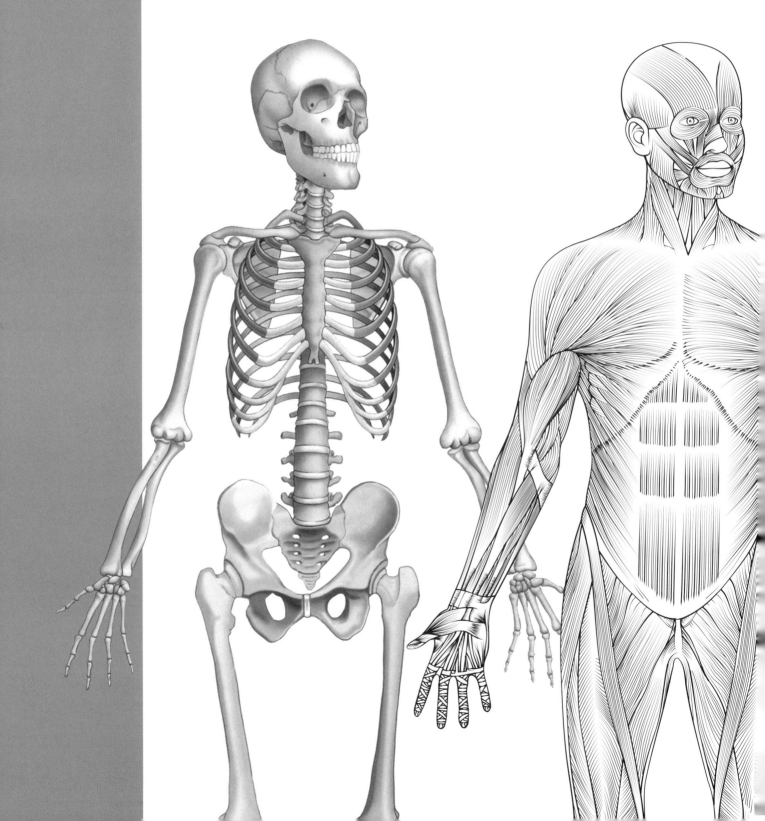

Glossário	188
Índice	189

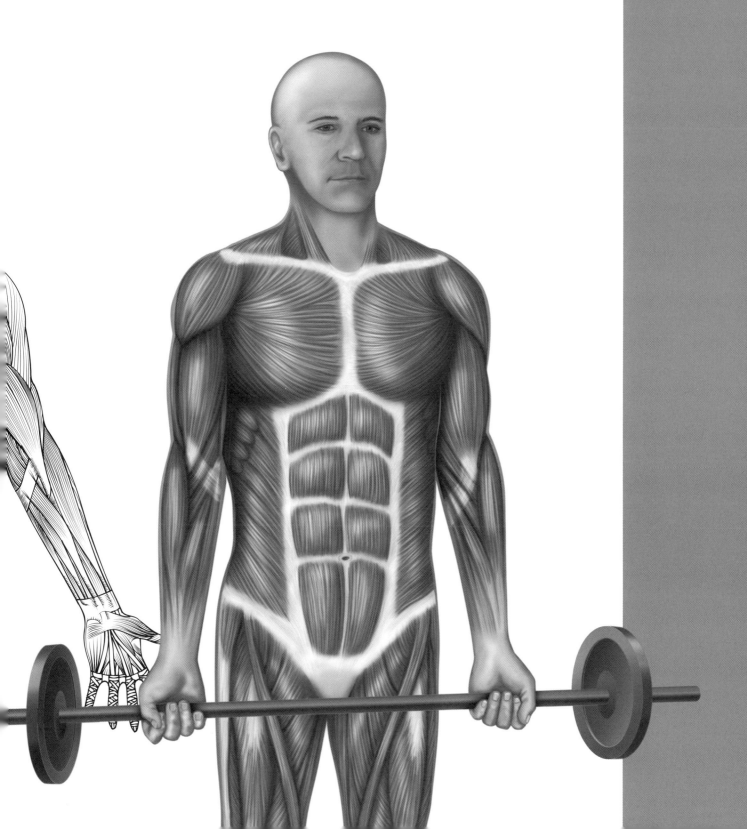

Glossário

Abdução Movimento do membro para longe da linha média do corpo.

Adução Movimento de um membro em direção à linha média do corpo.

Ataque do pé O impacto do pé contra o solo durante um movimento do exercício.

Ativação isométrica Ativação de um músculo que se mantém com o mesmo comprimento.

Auxiliar Alguém que ajuda o executante a assumir uma posição inicial correta, se certifica que a barra livre ou halteres se desloquem na direção correta, e ajuda quando o praticante se esforça para controlar a carga durante o exercício.

Cadeia cinética A conexão de todas as partes do corpo, uma com a outra, diretamente ou indiretamente. Mover uma parte do corpo pode afetar a posição e o momento de outra parte do corpo.

Cifose Uma curvatura da coluna vertebral que é côncava à parte anterior do corpo. Ela é normal na coluna torácica.

Coluna neutra A posição da espinha ou coluna vertebral, na qual há o menor estresse nas articulações, ligamentos e discos. Na coluna lombar, essa é uma posição de leve lordose.

Contração concêntrica Uma ação muscular na qual o músculo encurta como resultado da contração.

Contração excêntrica Uma ação muscular na qual o músculo alonga sob tensão, como ao baixar uma carga contra a gravidade em um movimento controlado.

Contração isométrica Uma contração muscular na qual não há mudança no comprimento do músculo.

Controle excêntrico A execução suave de um movimento excêntrico.

Core O tronco. Constantemente utilizado em referência aos músculos estabilizadores do *core*, por exemplo, abdominal transverso, multífido, oblíquos.

Core posterior Estabilizadores do *core* nas costas, por exemplo, multífido.

Empunhadura alternada Agarrar a barra livre com a palma de uma das mãos voltada para fora do corpo, e a outra palma voltada em direção ao corpo.

Escápula O osso conhecido usualmente como omoplata.

Estabilizadores Músculos que não estão envolvidos no movimento, mas ajudam a manter a posição do corpo. Importante no conceito de cadeia cinética.

Exercício bilateral Um exercício com os dois segmentos juntos.

Exercício unilateral Exercício realizado com apenas um membro.

Extensão O ato de alinhar um segmento em relação à articulação.

Facilitação neuromuscular proprioceptiva O papel do *feedback* sensório dos receptores de alongamento em um músculo ou seu tendão para manter o tônus muscular durante a contração.

Fase concêntrica Parte do movimento do exercício no qual o músculo encurta à medida que contrai.

Fase excêntrica Parte do movimento do exercício na qual o músculo alonga enquanto é ativado.

Flexão Ato de "desalinhar" um segmento em relação ao outro na articulação.

Glúteos (músculos) Este grupo inclui o glúteo máximo na superfície, e os músculos profundos glúteo médio e mínimo.

Hiperextensão Extensão de uma articulação além da amplitude normal de movimento.

Isquiotibiais Músculos posteriores da coxa. O grupo dos isquiotibiais inclui os músculos semitendinoso, semimembranoso e bíceps femoral.

Lordose Uma curvatura da coluna vertebral que é côncava à parte posterior do corpo. Ela é normal na coluna lombar e cervical.

Motor primário O principal músculo ou grupo de músculos que produz o movimento.

Músculos acessórios *Ver músculos ou motores secundários.*

Músculos ativos Músculos responsáveis pelo principal movimento envolvido em um exercício. Também conhecidos como motores primários.

Músculos do manguito rotador Um grupo de músculos (supraespinhoso, subescapular, infraespinhoso e redondo menor) que se originam da escápula e inserem no úmero para produzir estabilidade dinâmica à articulação do ombro.

Músculos extensores Um grupo de músculos que realizam um movimento de extensão.

Músculos flexores Um grupo de músculos que realizam o movimento de flexão.

Músculos ou motores secundários Músculos que ajudam a realizar o movimento, mas não são os motores primários.

Postura Durante o treinamento com pesos, a posição correta para as costas é manter a curvatura normal da lordose da coluna lombar. Evite achatar ou arquear as costas.

Quadríceps O grupo muscular do quadríceps femoral na parte anterior da coxa inclui os músculos vasto lateral, vasto intermédio, vasto intermédio, vasto medial, e reto femoral.

Retração Movimento para trás da escápula em direção à coluna vertebral.

Rotação interna Rotacionar um membro em direção à linha média. Também denominada rotação medial.

Rotação medial *Veja rotação interna.*

Sobrecarga excêntrica A ação na qual uma carga extra é resistida à medida que o músculo alonga enquanto contrai, como ao baixar uma barra livre para a posição inicial durante uma rosca direta. A ação excêntrica pode suportar mais carga que a ação concêntrica (músculo encurtando), portanto, normalmente, é necessário adicionar uma carga extra, caso o praticante pretenda sobrecarregar a fase excêntrica.

Sobrecarga progressiva O aumento progressivo da força a ser resistida para produzir o ótimo treinamento do músculo.

Supersérie Dois exercícios realizados um seguido do outro, sem descanso entre eles, para criar um treinamento mais intenso.

Vértebras cervicais As sete vértebras do pescoço. Juntas formam uma curva que é côncava em relação à parte posterior do corpo.

Vértebras lombares As cinco vértebras entre o final da caixa torácica e a pelve. Elas abrangem a parte inferior das costas.

Vértebras torácicas As 12 vértebras do tórax, incluindo a parte superior e média das costas – cada uma é articulada a uma costela.

Índice

A
abdômen, músculos do 18, 160
  vista anterior 18, 160
abdominal 134-5
  dor na região inferior das costas 135
abdominal cruzado 136-7
abdução de quadril 128-9
adução de quadril 126-7
adutor curto 100, 104, 106, 122, 126
adutor longo, 100, 102-3, 122-3, 126-7
adutor magno 100, 102-3, 104-5, 106, 122-3, 126-7
agachamento com barra livre 100, 102-3
  Agachamento frontal 102
  um quarto de agachamento 102
agachamento com halteres 100-1
agachamento unilateral com halteres 100
artérias do membro inferior 35
  vista anterior 35
articulação bola e soquete 173
articulação deslizante (plana) 173
articulação do cotovelo 180
  vista medial 180
articulação do ombro 26, 179
  estresse 79
  vista anterior 179
  vista posterior 26, 179
articulação elipsoide (condilar) 173
articulação em dobradiça 173
articulação em pivô 173
articulação selar 173
articulações 173
articulações 173
atenção/riscos de lesão
  carga 46, 48, 49, 76, 88, 126, 146
avanço andando 104
avanço com barra livre 104-5

B
bíceps braquial 60-1, 62-3, 64-5, 66-7, 74-5, 76-7, 78-9, 92-3, 146-7, 148-9
bíceps femoral 108-9, 118-19, 120-1, 124-5
bicicleta 138-9
bicicleta sentada 138
bird dog 140-1
braquial 60-1, 62-3, 64-5, 66-7, 70-1, 74-5, 76-7, 78-9
braquiorradial 60-1, 62-3, 64-5, 66-7, 74-5, 76-7, 92-3

C
cabeça e pescoço, músculos da 156-7
  vista anterior 156
  vista lateral 157
cadeira flexora 118-19
cifose torácica 54
coluna vertebral 24-5, 176-7
  vista lateral 24, 25, 176
  vista posterior 24, 25, 176
consulta médica 9
coração 33
  vista anterior 33
  vista posterior 33
costas, músculos das 19, 158-9
  vista posterior 19, 158-159
cotovelo, ligamentos do 180
  vista medial 180
cotovelo, músculos do 166
  vista lateral 166
crossover 52-3
  Luxação no ombro 52
crossover com polia alta 52
crossover com polia média 52
crucifixo com halteres 46-7
crucifixo com polias 52
crucifixo invertido 68-9
  estresse nos músculos do manguito rotador 68

D
de pé, puxando cabo para baixo
"desenvolvimento militar" sentado 86
deltoide 146-7, 148-9
  anterior 44-5, 48-9, 50-1, 56-7, 86-7, 88-9
  lateral 86-7, 88-9, 90-1, 92-3
  posterior 60-1, 62-3, 64-5, 66-7, 68-9, 70-1
deltoide anterior 44-5, 48-9, 50-1, 56-7, 86-7, 88-9
deltoide lateral 86-7, 88-9, 90-1, 92-3,
deltoide posterior 60-1, 62-3, 64-5, 66-7, 68-9, 70-1
desenvolvimento Arnold 86
desenvolvimento de ombros 86-7
  arquear excessivamente as costas 87
diafragma 37
  vista inferior 37
discos intervertebrais

E
elevação frontal 88-9
  reabilitação do ombro 88
elevação lateral 90-1
  excessiva sobrecarga sobre os músculos do manguito rotador 91
encolhimento de ombros 94-5
  empunhadura mista 94
eretor da espinha 142, 144-5, 146, 148, 150-1
exercício de facilitação neuromuscular proprioceptiva (FNP) 146-7

exercícios de reabilitação
  lesões no ombro e cotovelo 46-7
exercícios para as costas 58-71
exercícios para glúteos 98-129
exercícios para membro inferior e glúteo 98-129
exercícios para membros superiores 72-97
exercícios para o ombro 72-97
exercícios para o tórax 43-57
exercícios para o tronco 150-51
extensão de cotovelo 82-3
  extensão com um braço 82
extensão de cotovelo curvado 84-5
extensão de joelho 116-17
extensão de tronco 144-5
  Exigência da parte inferior das costas 144

F

fáscia do tríceps sural 110-11
fáscia toracolombar 145, 151
flexão de braços 56-7
  desestabilização do braço 56
flexão de cotovelos na barra fixa 62-3
  hiperextensão dos cotovelos 62
  luxação das articulações dos ombros 62
flexão de punho 96-7
flexor longo do hálux 112, 114
flexor longo dos dedos 112, 114
flexor radial do carpo 96-7
flexor ulnar do carpo 96-7

G

gastrocnêmio 110-11, 112-13
glúteo máximo 100-1, 102-3, 104-5, 106-7, 108-9, 110-11, 122-3, 142-3, 146-7, 148-9
glúteo médio 128
glúteo mínimo 128
grácil 126-7
grande dorsal 54-5, 60-1, 62-3, 64-5, 66-7, 70-1

H

halteres, uso de 45

I

infraespinhoso 64-5, 66-7
isquiotibiais nórdicos 124-5
  estresse excessivo nos músculos isquiotibiais 124

J

joelho, ossos e ligamentos do 27, 183
  vista anterior 27, 183

L

leg press 122-3
levantamento terra estilo "sumo" 106
levantamento terra 106-7
levantamento terra romeno 108-9
levantamento terra romeno com uma perna 108
ligamentos
  joelho 27
  ombro 26, 179
  tornozelo e pé 27

M

mão, músculos da 167
mão, ossos da 181
medula espinhal 30-1
  vista anterior 31
  vista de um corte transversal 30
membro inferior, músculos do 21, 168-70
  vista anterior 21, 168
  vista lateral 170
  vista posterior 21, 169
membro inferior, nervos do 185
  vista anterior 185
  vista posterior 185

membro inferior, ossos do 27, 182, 183
  vista anterior 27, 182
  vista posterior 27, 182
membro inferior, vasos sanguíneos do 35
membro superior, músculos do 20, 164-6
  vista anterior 20, 164
  vista lateral 166
  vista posterior 20, 165
membro superior, nervos do 184
  vista anterior 184
  vista posterior 184
membro superior, ossos do 26, 178, 180, 181
  vista anterior 26, 178
  vista posterior 26, 178
membro superior, vasos sanguíneos do 34
mergulho 50-1
mergulho no banco 50
mesa flexora 118, 120-1
  reabilitação dos isquiotibiais 120
movimentos do corpo 38-9
  vista anterior 38
  vista lateral 39
multífido 142, 144-5, 146, 148
músculos intermediários das costas 19, 159
músculos profundos das costas 19, 159
músculos profundos do membro inferior 168, 169
músculos profundos do membro superior 164, 165
músculos profundos do ombro 161, 162
músculos superficiais
  costas 19, 158
  membro inferior 21, 168, 169, 170
  membro superior 20, 164, 165, 166
  ombro 161, 162, 163

N

nervos espinhais 31, 184

O

oblíquo externo 132-3, 134-5, 136-7, 138-9, 140-1, 142-3, 146-7, 148-9, 150-1

índice

oblíquo interno 132-3, 134-5, 136-7, 138-9, 140-1, 142-3, 146-7, 148-9, 150-1
ombro, ligamentos do 26, 179
   vista anterior 26, 179
ombro, músculos do 161-3
   vista anterior 162
   vista lateral 163
   vista posterior 161
ossos do corpo
   coluna vertebral 24-5, 176
   joelho 27
   membro inferior 27
   membro superior 26, 178, 180
   punho e mão 181
   sacro e cóccix 177
   tornozelo e pé 183
   vista anterior 22, 174
   vista lateral 23, 175
   vista posterior 23, 175

P

panturrilha em pé 112-13
   reabilitação para tornozelos/panturrilhas 112-13
panturrilha sentado 114-15
   reabilitação das panturrilhas/tornozelos 114
pé, ligamentos do 27
   vista lateral 27, 183
pé, músculos do 171
   vista lateral 171
   vista posteromedial 171
pé, ossos do 183
   vista medial 183
pectíneo 126-7
peitoral maior 43, 44-5, 46-7, 48-9, 50-1, 52-3, 54-5, 56-7
   dilacerações 50
piriforme 128
plantar 112, 114
ponte 142-3
ponte com uma perna 142

prancha 132-3
   reabilitação do ombro 132
prancha lateral 132
pullover 54-5
pulmões 36
   vista anterior 36
punho e mão, músculos do 167
   vista dorsal 167
   vista palmar 167
punho e mão, ossos do 181
   vista dorsal 181
   vista palmar (ventral) 181
puxada anterior 60-1
   "pegada fechada" 60
   risco de lesão no pescoço 60
puxador tríceps 80-1

Q

quadrado lombar 144-5

R

redondo maior 60-1, 62-3, 64-5, 66-7, 70-1
redondo menor 62-3, 64-5, 66-7
regiões do corpo
   vista anterior 14
   vista posterior 15
remada com barra 64-5
remada sentada 66-7
   estresse/sobrecarga na região inferior das costas 66
remada unilateral 70-1
remada vertical 92-3
reto abdominal 132-3, 134-5, 136-7, 138-9, 140-1, 142-3, 146-7, 148-9, 150-1
reto femoral 100-1, 102-3, 106, 110, 116-17
romboide maior 62-3, 64-5, 66-7, 70-1
romboide menor 62-3, 64-5, 66-7, 70-1
rosca com cabo 78-9
   estresse/sobrecarga na articulação do ombro 79

   estresse/sobrecarga nos músculos do manguito rotador 79
rosca concentrada 76-7
rosca direta 74-5
   estresse na região inferior das costas 75
rosca martelo 76
rotação de tronco com polia alta 148-9
rotação de tronco com polia baixa 146-7

S

sacro e cóccix 177
   vista anterior 177
   vista posterior 177
segurança 9
   arquear excessivamente as costas 87
   dor na região inferior das costas/dor lombar 135
   estresse excessivo nos músculos isquiotibiais 124
   estresse na articulação do ombro 79
   estresse na região inferior das costas 66, 75, 92, 144
   estresse nos músculos do manguito rotador 68, 79
   hiperextensão dos cotovelos 62
   lesão de ombro 44
   lesões no joelho ou punho 141
   luxação de ombro 52, 62
   risco de lesão no pescoço 60
   sobrecarga excessiva nos músculos do manguito rotador 91
semimembranoso 108-9, 118, 120, 124
semitendinoso 108-9, 118, 120, 124
serrátil anterior 43, 56-7
sistema circulatório 32-5
   coração 33
   vasos sanguíneos do membro inferior 35
   vasos sanguíneos do membro superior 34
   vista anterior 32
sistema esquelético 22-7, 174-83
   articulação do ombro 26, 179
   coluna vertebral 24-5, 176

cotovelo 180
joelho, ossos e ligamentos do 27, 183
membro inferior, ossos do 27, 182, 183
membro superior, ossos do 26, 178, 181
punho e mão 26, 178, 181
sacro e cóccix 177
tornozelo e pé, ligamentos do 27, 183
tornozelo e pé, ossos do 27, 183
vista anterior 22, 174
vista lateral 23, 175
vista posterior 23, 175
sistema muscular 16-21, 154-71
  abdômen 18, 160
  cabeça e pescoço 156-7
  costas 19, 158-9
  cotovelo 166
  músculos intermediários das costas 19, 159
  músculos profundos das costas 19, 159
  músculos profundos do membro inferior 168, 169
  músculos profundos do membro superior 164, 165
  músculos superficiais das costas 19, 158
  músculos superficiais do membro inferior 21, 168, 169, 170
  músculos superficiais do membro superior 20, 164, 165, 166
  ombro 161-3
  pé 171
  punho e mão 167
  tipos de músculos 172
  tórax 160
  vista anterior 16, 154
  vista lateral 17, 155
  vista posterior 17, 155
sistema nervoso 28-31, 184-5
  medula espinhal 30, 31
  nervos do membro inferior 185
  nervos do membro superior 184
  nervos espinhais 31
  vista anterior 28
sistema nervoso autônomo 29

sistema nervoso central 29
sistema respiratório 36-7
  vista anterior 37
  sobrecarga na parte inferior das costas 92
sóleo 110-11, 112-13, 114-15
step-up 110-11
super-homen 140-1
  lesões no joelho ou punho 141
supino 48-9
supino com halteres 44-5
  lesão no ombro 44
supraespinhoso 90-1, 92-3

T

tensor da fáscia lata 128-9
tibial posterior 112, 114
tipos de músculos 172
tórax, músculos do 160
  vista anterior 160
tornozelo e pé, ligamentos do 27, 183
  vista lateral 27, 183
tornozelo e pé, ossos do 183
  vista medial 183
trapézio 62-3, 64-5, 66-7, 70-1, 88-9, 90-1, 92-3, 94-5, 146-7, 148-9

tríceps braquial 44-5, 48-9, 50-1, 56-7, 80-1, 82-3, 84-5, 146-7, 148-9

V

vasos sanguíneos do membro superior e inferior 34-5
vasto intermédio 100, 102, 106, 110, 116, 122
vasto lateral 100-1, 102-3, 104-5, 106-7, 110-11, 116-17, 122-3
vasto medial 100, 102-3, 104-5, 106, 110, 116-17, 122-3
veias do membro inferior 35
  vista anterior 35
veias do membro superior 34
  vista anterior 34

W

walkout 150-1

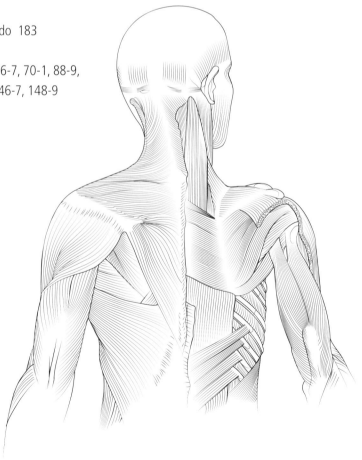